Las Tablas Esmeralda de Thoth El Atlante

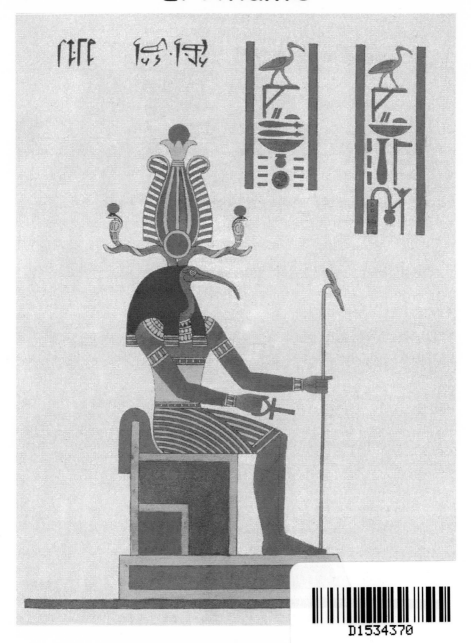

D1534370

Hermes Trismegisto

PREFACIO

La historia de las tablas traducidas en las siguientes páginas es extraña y más allá de la creencia de los científicos modernos. Su antigüedad es estupenda, datando de unos 36,000 años AC. El escritor es Thoth, un Rey-Sacerdote Atlante, quien fundó una colonia en el antiguo Egipto después del hundimiento de la madre patria.

Él fue el constructor de la Gran Pirámide de Giza, erróneamente atribuida a Keops. En ella, él incorporó su conocimiento de su antigua sabiduría y también seguramente resguardó registros e instrumentos de la antigua Atlántida.

Por unos 16,000 años, él gobernó la antigua raza de Egipto, desde el 52,000 AC aproximadamente al 36,000 AC. En ese tiempo, la antigua raza bárbara, de entre la cual él y sus seguidores se habían establecido, había sido elevada a un alto grado de civilización.

Thoth era un inmortal, es decir, él había conquistado la muerte, pasando solamente cuando quisiera e incluso entonces no era a través de la muerte. Su vasta sabiduría lo hizo gobernar sobre las varias colonias atlantes, incluyendo las del Sur y Centro América.

Cuando llegó el tiempo de que dejara Egipto, creó la Gran Pirámide en la entrada de los Grandes Salones de Amenti, colocó en ella sus registros, y señaló guardias para sus secretos de entre lo más elevado de su gente.

En tiempos posteriores, los descendientes de estos guardias se volvieron los sacerdotes de las pirámides, por lo cual Thoth se volvió deidad como el Dios de la Sabiduría, El que llevaba los Registros, por aquellos en la era de la oscuridad que siguió su muerte. En la leyenda, los Salones de Amenti se volvieron del inframundo, los Salones de los dioses, en donde las almas pasaban a su juicio después de la muerte.

Durante eras posteriores, el ego de Thoth pasó a los cuerpos de los hombres en la forma descrita en las tablas. Como tal, él encarnó tres veces, en la última fue conocido como Hermes, el tres veces nacido.

En esta encarnación, dejó escritos conocidos para los ocultistas modernos como las Tablas Esmeralda, una exposición posterior y mucho menor de los antiguos misterios.

Las tablas traducidas en este trabajo son diez, las cuales fueron dejadas en la Gran Pirámide en la custodia de los sacerdotes de las pirámides. Las diez están divididas en trece partes a nombre de la conveniencia.

Las últimas dos son tan grandes y de largo alcance en su importancia que en la actualidad está prohibido liberarlas al mundo. Sin embargo, en esos contenidos están secretos los cuales probarán ser de inestimables valor al estudiante serio.

Deberían ser leídas, no una vez, sino cientos de veces solamente puesto que solamente así el verdadero significado puede ser revelado. Una lectura casual dará unos vislumbres de belleza, pero un estudio más intenso abrirá avenidas de sabiduría al buscador.

Pero ahora una palabra de cómo estos poderosos secretos se revelaron al hombre moderno después de estar escondidos por tanto tiempo.

Unos ciento treinta años AC, Egipto, la antigua Khem, estaba en confusión y muchas delegaciones de sacerdotes fueron enviados a otras partes del mundo.

Entre estos había algunos de los sacerdotes de la pirámide quienes cargaban con ellos las Tablas Esmeralda como un talismán con el cual podían ejercer autoridad sobre los menos avanzados sacerdotes de razas descendidas de otras colonias atlantes.

Se entendía de la leyenda que las tablas daban al portador la autoridad de Thoth.

El grupo particular de sacerdotes que portaban las tablas emigraron al Sur de América en donde encontraron una raza floreciente, los Mayas, quienes les recordaban mucho de la sabiduría antigua.

Entre estos, los sacerdotes se establecieron y se quedaron. En el siglo décimo, los Mayas se habían establecido a lo largo de Yucatán, y las tablas fueron colocadas debajo del altar de uno de los grandes templos del Dios Sol.

Después de la conquista de los Mayas por los españoles, las ciudades fueron abandonadas y los tesoros de los templos olvidados.

Debería ser entendido que la Gran Pirámide de Egipto ha sido y es todavía un templo de iniciación en los misterios. Jesús, Salomón, Apolunio y otros fueron iniciados ahí.

El escritor (quien tiene una conexión con la Gran Logia Blanca que también trabaja a través del sacerdocio de la pirámide) fue instruido para recuperar y regresar las antiguas tablas a la Gran Pirámide.

Esto, después de las aventuras que no necesitan detallarse aquí, fue logrado. Antes de regresarlas, se le dio permiso de traducir y mantener una copia de la sabiduría grabada en las tablas.

Esto se hizo en 1925 y solamente ahora se tiene el permiso para que parte de eso sea publicado. Se espera que muchos se burlen. No obstante, el verdadero estudiante leerá entre líneas y ganará sabiduría.

Si la luz está en ustedes, la luz que está grabada en estas tablas responderá.

Ahora, una palabra de cómo es el aspecto material de las tablas.

Consisten de doce tablas verde esmeralda, formadas de una sustancia creada a través de transmutación química.

Son imperecederas, resistentes a todos los elementos y sustancias. En efecto, la estructura celular y atómica está arreglada, ningún cambio ha tenido lugar nunca.

En este respecto, violan la ley material de la ionización.

Sobre ellas están grabadas caracteres en el antiguo idioma atlante: caracteres los cuales responden a afinadas olas de pensamiento, liberando la vibración mental asociada en la mente del lector.

Las tablas están unidas con aros de aleación color dorada suspendidos de una barra del mismo material. Demasiado para la apariencia del material.

La sabiduría contenida ahí es la base de los antiguos misterios. Y para el que lee con ojos y mente abiertos, su sabiduría deberá incrementar cien veces.

Lean. Lo crean o no, pero lean. Y la vibración encontrada ahí despertará una respuesta en su alma.

En las siguientes páginas, revelaré algunos de los misterios que no obstante solamente han sido tocados ligeramente ya sea por mí u otros maestros o estudiantes de la verdad.

La búsqueda del hombre por el entendimiento de las leyes que regulan su vida ha sido interminable, no obstante siempre justo detrás del velo que escuda los planos más elevados de la visión material del hombre la verdad ha existido, lista para ser asimilada por aquellos que agrandan su visión mirando al interior, no al exterior, en su búsqueda.

En el silencio de los sentidos materiales yace la clave para revelar la sabiduría. El que habla no sabe; el que sabe no habla.

El conocimiento más elevado es impronunciable, puesto que existe como una entidad en rutas que trascienden todas las palabras o símbolos materiales.

Todos los símbolos no son más que llaves para las puertas que guían a las verdades, y muchas veces la puerta no se abre porque la llave parece tan grande que las cosas que están más allá de ella no son visibles.

Si podemos entender todas las claves, todos los símbolos materiales son manifestaciones, no son más que extensiones de una gran ley y verdad, comenzaremos a desarrollar la visión que nos permitirá penetrar más allá del velo.

Todas las cosas en todos los universos se mueven de acuerdo a la ley, y la ley que regula el movimiento de los planetas no es más inmutable que la ley que regula las expresiones materiales del hombre.

Una de las más grandes de todas las Leyes Cósmicas es esa que es responsable por la formación del hombre como un ser material. El gran objetivo de las escuelas de misterio de todas las eras ha sido revelar los trabajos de la Ley que conecta al hombre material y al hombre espiritual.

El enlace de conexión entre el hombre material y el hombre espiritual es el hombre intelectual, puesto que la mente toma parte tanto las cualidades materiales como no materiales.

El aspirante al conocimiento más elevado debe desarrollar el lado intelectual de su naturaleza y así reforzar su voluntad que es capaz de concentrarse en todos los poderes de su ser y en el plano que desee.

La gran búsqueda de luz, vida y amor solamente comienza en el plano material. Llevado a lo último, su objetivo final es la completa unidad con la conciencia universal. La base en lo material es el primer paso; después viene el objetivo más elevado del logro espiritual.

En las siguientes páginas, les daré una interpretación de las Tablas Esmeralda y sus significados secretos, escondidos y esotéricos.

Ocultos en las palabras de Thoth están muchos significados que no aparecen en la superficie.

La luz del conocimiento traída sobre las Tablas abrirá muchos campos nuevos para el pensamiento.

"Lean y sean sabios" pero solamente si la luz de su propia conciencia despierta el profundo entendimiento asentado que es una cualidad inherente del alma.

ÍNDICE

LAS TABLAS ESMERALDA DE THOTH

TABLA I

** LA HISTORIA DE THOTH, EL ATLANTE **

Yo, THOTH, el Atlante, maestro de los misterios, guardián de los registros, poderoso rey, mago, viviendo de generación en generación, preparándome para entrar a los salones de Amenti, dejando la guía de aquellos que van a pasar, estos registros de la poderosa sabiduría de la Gran Atlántida.

En la gran ciudad de KEOR en la isla de UNDAL, en un tiempo muy lejano, comencé esta encarnación. No como lo hicieron los hombrecitos de la era actual, los poderosos de la Atlántida viven y mueren, pero en lugar de cómo lo hacían de eones a eones, ellos renovaban su vida en los Salones de Amenti en donde el río de la vida fluye eternamente hacia delante.

Cien veces diez he descendido el camino oscuro que guía a la luz, y como muchas veces he ascendido de la oscuridad hacia la luz mi fuerza y poder se renovaban.

Ahora por un tiempo desciendo, y los hombres de KHEM (Khem es el antiguo Egipto) ya no me conocerán más.

Pero en un tiempo todavía no nacido surgiré nuevamente, poderoso y potente, requiriendo un informe de aquellos que quedaron atrás de mí.

Entonces tengan cuidado, Oh hombres de KHEM, si ustedes han falsamente traicionado mi enseñanza, puesto que los arrojaré de su alto estado hacia la oscuridad de las cuevas de las cuales vienen.

No revelen mis secretos a los hombres del norte o a los hombres del sur para mi maldición no caiga sobre ustedes.

Recuerden y cuiden mis palabras, puesto que seguramente volveré nuevamente y requeriré de ustedes eso que cuidan. Así es, incluso desde más allá del tiempo y desde más allá de la muerte yo regresaré, recompensando o castigando si han abandonado su verdad.

Grande era mi gente en los antiguos días, grande más allá de la concepción de las pequeñas personas que ahora están a mí alrededor; conociendo la sabiduría de lo antiguo, buscando más dentro del corazón del conocimiento infinito que pertenecía a la juventud de la Tierra.

Sabios éramos nosotros con la sabiduría de los Niños de Luz quienes habitaban entre nosotros. Fuertes éramos nosotros con el poder extraído del fuego eterno.

Y de todos esos, el más grande entre los hijos de los hombres era mi padre, THOTME, guardián del gran templo, enlace entre los Niños de Luz que habitaban dentro del templo y las razas de hombres que moraban en las diez islas.

Portavoz, después de los Tres, del Morador de UNAL, hablando a los Reyes con la voz que debe ser obedecida.

Crecí ahí de niño a la adultez, siendo enseñado por mi padre los antiguos misterios, hasta que a tiempo ahí crecí dentro del fuego de la sabiduría, hasta que ardió en una flama consumiéndose.

Nada deseé más que el logro de la sabiduría. Hasta que un gran día la orden vino del Morador del Templo que me presentara frente a él. Pocos habían entre los hijos de los hombres que hubieran mirado esa poderosa cara y vivido, puesto que no como los hijos de los hombres son los Hijos de la Luz cuando no están encarnados en un cuerpo físico.

Elegido fui de los hijos de los hombres, enseñado por el Morador para que sus propósitos fueran cumplidos, propósitos todavía no nacidos en el vientre del tiempo.

Largas eras habité en el Templo, aprendiendo siempre y todavía más sabiduría, hasta que yo, también, alcancé la luz emitida del gran fuego. Me enseñó él, el camino a Amenti, el inframundo en el que los grandes Reyes se sientan sobre su trono de poder.

Una profunda reverencia hice en homenaje ante los Señores de la Vida y los Señores de la Muerte, recibiendo como mi regalo la Llave de la Vida.

Libre fui de los Salones de Amenti, no destinado a estar muerto en el círculo de la vida. Lejos a las estrellas viajé hasta que el espacio y el tiempo se convirtieron en nada.

Después de haber bebido profundamente de la copa de la sabiduría, miré en los corazones de los hombres y ahí encontré misterios más grandes y estaba contento. Puesto que solamente en la Búsqueda de la Verdad podría mi Alma estar tranquila y la flama interior estar apagada.

A través de las eras viví, viendo a aquellos a mí alrededor probar de la copa de la muerte y regresar de nuevo en la luz de la vida.

Gradualmente desde los Reinos de la Atlántida pasaron olas de conciencia que había sido una conmigo, solamente para ser recolocadas por semillas de una estrella inferior.

En obediencia a la ley, la palabra del Maestro se volvió flor. Descendentes a la oscuridad se volvieron los pensamientos de los Atlantes, hasta que al fin en esta cólera surgida de su AGWANTI (esta palabra no tiene equivalente; significa un estado de indiferencia), el Morador, hablando La Palabra, llamando al poder.

Profundo en el corazón de la Tierra, los hijos de Amenti escucharon, y escucharon, dirigiendo el cambio de la flor de fuego que arde eternamente, cambiando y cambiando, usando el LOGOS, hasta que ese gran fuego cambió su dirección.

Sobre el mundo entonces se abrieron las grandes aguas, inundando y hundiendo, cambiando el equilibrio de la Tierra hasta que solamente quedó el Templo de la Luz parado sobre la gran montaña en UNDAL todavía surgiendo del agua; algunos hubo que estaban viviendo, salvados del torrente de las fuentes.

Me llamó entonces el Maestro, diciendo: Reunid a mi gente. Llévalos por las artes que has aprendido a través de las lejanas aguas, hasta que alcances la tierra de los velludos bárbaros, morando en cuevas del desierto. Sigue allí el plan que todavía conoces.

Reuní entonces a mi pueblo y entré al gran barco del Maestro. Hacia arriba nos elevamos en la mañana. Oscuro debajo de nosotros yace el Templo.

Repentinamente sobre él surgen las aguas. Desaparecido de la Tierra, hasta el tiempo señalado, fue el gran Templo.

Rápido volamos hacia el sol de la mañana, hasta que debajo de nosotros yació la tierra de los hijos de KHEM. Furiosos, con palos y lanzas, elevados en ira buscando asesinar y completamente destruir a los Hijos de la Atlántida.

Entonces elevé mi báculo y dirigí un rayo de vibración, alcanzándoles en sus caminos como fragmentos de piedra de la montaña.

Después les hablé con palabras tranquilas y pacíficas, hablándoles del poder de la Atlántida, diciendo que nosotros éramos hijos del Sol y sus mensajeros. Los intimidé con mi manifestación de magia-ciencia, hasta que a mis pies se postraron, cuando los liberé.

Mucho habitamos en la tierra de KHEM, mucho y todavía más nuevamente. Hasta que obedecieran las órdenes del Maestro, quien mientras duerme no obstante vive eternamente, envié a los Hijos de la Atlántida, los envié en muchas direcciones, que desde el vientre de la sabiduría del tiempo puede surgir nuevamente en sus hijos.

Largo tiempo habité en la tierra de KHEM, haciendo grandes trabajos por la sabiduría dentro de mí. Hacia arriba crié en la luz del conocimiento a los hijos de KHEM, regados por las lluvias de mi sabiduría.

Maldije entonces un camino a Amenti para que pudiera retener mis poderes, viviendo de era a era un Sol de la Atlántida, cuidando la sabiduría, preservando los registros.

Pocos grandes los hijos de KHEM, conquistando personas a su alrededor, creciendo lentamente hacia arriba en la fuerza del Alma.

Ahora por un tiempo me voy de entre ellos hacia los oscuros salones de Amenti, profundo en los salones de la Tierra, ante los Señores de los poderes, cara a cara una vez más con el Morador.

Me levanté en la entrada, una puerta, un portal guiando hacia a Amenti.

Pocos habrían con el valor para atreverse, pocos pasan el portal al oscuro Amenti.

Erigí sobre el pasaje, yo, una poderosa pirámide, usando el poder que supera la fuerza de la Tierra (gravedad). Profundo y todavía más profundo coloqué un fuerte o cámara; desde ahí tallé un pasaje circular alcanzando casi la gran cima.

Ahí en el ápice, coloqué yo el cristal, enviando el rayo hacia el "Tiempo-Espacio", atrayendo la fuerza de lo etéreo, concentrándose sobre el portal a Amenti.

Otras cámaras construí y dejé vacantes para todas las apariencias, no obstante ocultas dentro de ellas están las llaves a Amenti. El que con valor desafiare los reinos oscuros, primero dejen que se purifique por un largo ayuno.

Yacerá en el sarcófago de piedra en mi cámara. Después revelaré a él los grandes misterios. Pronto él seguirá a donde lo encontraré, incluso en la oscuridad de la Tierra lo encontraré, Yo, Thoth, el Señor de la Sabiduría, lo encontraré y lo tomaré y moraré con él siempre.

Construí la Gran Pirámide, modelé después la pirámide de la fuerza Terrestre, ardiendo eternamente para que, también, pueda permanecer a través de las eras.

En ella, construí mi conocimiento de "Magia-Ciencia" para que pueda estar aquí cuando nuevamente regrese de Amenti, sí, mientras duermo en los Salones de Amenti, mi Alma que vaga libre encarnará, morará entre los hombres en esta forma u otra. (Hermes, el tres veces nacido)

Emisario en la Tierra soy del Morador, cumpliendo sus órdenes para que muchos puedan ser elevados. Ahora regreso a los salones de Amenti, dejando detrás de mí algo de mi sabiduría. Preserven y mantengan la orden del Morador: Eleven siempre sus ojos hacia la luz.

Seguramente a tiempo, son uno con el Maestro, seguramente por derecho ustedes son uno con el Maestro, seguramente por derecho todavía son uno con el TODO.

Ahora, me aparto de ustedes. Conozcan mis órdenes, manténganlas y sean ellas, y yo estaré con ustedes, ayudándolos y guiándolos hacia la Luz.

Ahora ante mí se abre el portal. Bajo en la oscuridad de la noche.

LAS TABLAS ESMERALDA DE THOTH

TABLA II

** LOS SALONES DE AMENTI **

En lo profundo de la Tierra yacen los salones de Amenti, muy debajo de las islas de la hundida Atlántida, los Salones de la Muerte y los salones de la vida, lavados en el fuego del TODO infinito.

Lejos en un tiempo pasado, perdido en el espacio tiempo, los Hijos de la Luz miraron al mundo. Viendo a los hijos de los hombres en su esclavitud, atados por la fuerza que venía del más allá. Supieron que solamente por medio de la libertad de la esclavitud el hombre alguna vez podría surgir de la Tierra al Sol.

Ellos descendieron y crearon cuerpos, tomando la semejanza del hombre como propia. Los Maestros de todo dijeron después de su formación:

"Nosotros somos esos que fueron formados de espacio-polvo, tomando parte de la vida del TODO infinito; viviendo en el mundo como hijos de los hombres, igual y no obstante diferentes a los hijos de los hombres".

Después para un lugar donde habitar, muy debajo de la corteza terrestre, explotaron ellos grandes espacios con su poder, espacios lejos de los hijos de los hombres. Rodeados por fuerzas y poder, escudaron del daño a los Salones de los Muertos.

De lado a lado entonces, colocaron ellos otros espacios, llenos con Vida y con Luz de arriba. Construyeron entonces los Salones de Amenti, que pueden habitar eternamente ahí, viviendo con vida hasta el fin de la eternidad.

Treinta y dos estaban ahí de los hijos, hijos de la Luz que habían venido entre los hombres, buscando liberar de la esclavitud de la oscuridad a aquellos que estaban atados por la fuerza del más allá.

En lo profundo de los Salones de la Vida creció una flor, ardiendo, expandiéndose, manejando la noche hacia atrás.

Colocaron en el centro, un rayo de gran potencia, dador de Vida, dador de Luz, llenando con poder a todo el que se acercara. Colocaron a su alrededor tronos, dos y treinta, lugares para cada uno de los Hijos de la Luz, colocados para que ellos fueran bañados en el resplandor, llenados con la Vida de la Luz eterna.

Ahí repetidas veces colocaban sus primeros cuerpos creados para pudieran ser llenados con el Espíritu de la Vida. Cien años de cada mil debe la flama de la Luz dadora de Vida surgir en sus cuerpos. Apresurando, despertando el Espíritu de la Vida.

Ahí en el círculo de eones a eones, se sientan los Grandes Maestros, viviendo una vida no conocida entre los hombres. Ahí en los Salones de la Vida ellos yacen durmiendo; libres fluyen sus Almas a través de los cuerpos de los hombres.

Repetidas veces, mientras sus cuerpos yacen dormidos, encarnan ellos en los cuerpos de los hombres. Enseñando y guiando hacia delante y hacia arriba, de la oscuridad a la luz.

Ahí en los Salones de la Vida, llenos con su sabiduría, no conocidos por las razas del hombre, viviendo por siempre bajo el frío fuego de la vida, se sientan los Hijos de la Luz. Veces hay en las que cuando se despiertan, salen desde las profundidades para ser luces entre los hombres, infinitos ellos entre los hombres finitos.

El que por progreso ha surgido de la oscuridad, que se ha elevado de la noche hacia la luz, liberado es de los Salones de Amenti, libre de la Flor de la Luz y de la Vida. Guiado entonces, por la sabiduría y el conocimiento, pasa de los hombres a los Maestros de la Vida.

Ahí él puede habitar como uno con los Maestros, libre de las ataduras de la oscuridad de la noche. Sentados dentro de la flor del resplandor están Siete Señores del Espacio-Tiempo sobre nosotros, ayudando y guiando a través de la Sabiduría infinita, el camino a través del tiempo de los hijos de los hombres.

Poderosos y extraños, ellos, velados con su poder, silenciosos, todo sapientes, atrayendo la fuerza de Vida, diferentes no obstante uno con los hijos de los hombres. Sí, diferentes, y no obstante Uno con los Hijos de la Luz.

Custodios y guardianes de la fuerza de la esclavitud del hombre, listos para soltarse cuando la luz haya sido alcanzada. Primero y muy poderoso, se sienta la Presencia Cubierta, Señor de Señores, el Nueve infinito, sobre los otros de cada uno de los Señores de los Ciclos;

Tres, Cuatro, Cinco, y Seis, Siete, Ocho, cada uno con su misión, cada uno con sus poderes, guiando, dirigiendo la densidad del hombre. Ahí se sientan ellos, poderosos y potentes, libres de todo tiempo y espacio.

No de este mundo, no obstante semejantes a él, Hermanos Ancianos ellos, de los hijos de los hombres. Juzgando y pesando, ellos con su sabiduría, observando el progreso de la Luz entre los hombres.

Ahí ante ellos estaba Yo guiado por el Morador, lo observé mezclarse con UNO de arriba.

Entonces de ÉL surgió una voz diciendo: "Grande eres tú, Thoth, entre los hijos de los hombres. Libre de ahora en delante de los Salones de Amenti, Maestro de la Vida entre los hijos de los hombres. No pruebes la muerte excepto si lo deseas, bebe tu Vida hasta el fin de la Eternidad, de ahora en adelante está la Vida, tú mismo tómala. De ahora en adelante la Muerte está al llamado de tu mano.

Mora aquí o sal de aquí cuando lo desees, libre es Amenti para el Sol del hombre. Toma tu Vida en la forma que desees, Hijo de la Luz que ha crecido entre los hombres. Elige tú el trabajo, puesto que todos deberían laborar, nunca estar libres del camino de la Luz.

Un paso tú has ganado en gran camino hacia arriba, infinita ahora es la montaña de la Luz. Cada paso que tomaste no hace más que engrandecer la montaña; todo tu progreso engrandece más la meta.

Alcanza la siempre infinita Sabiduría, siempre ante ti reside la meta. Liberado ahora estás de los Salones de Amenti para caminar mano a mano con los Señores del mundo, uno en un propósito, trabajando juntos, trayendo la Luz a los hijos de los hombres".

Entonces de su trono vino uno de los Maestros, tomando mi mano y guiándome hacia delante, a través de los Salones de la profunda tierra escondida. Me guió él a través de los Salones de Amenti, mostrándome los misterios que no son conocidos para el hombre.

A través del oscuro pasaje, hacia abajo él me guió, hacia el Salón que es sitio es la oscura Muerte. Vasto como el espacio yace el gran Salón ante mí, con paredes de oscuridad pero no obstante llenas con Luz.

Ante mí se elevó un gran trono de oscuridad, velado en él estaba sentada una figura de la noche. Más oscura que la oscuridad sentada la gran figura, oscura con una oscuridad que no es de la noche. Ante ella entonces el Maestro pausó, diciendo

La Palabra que provoca Vida, diciendo: "Oh, maestro de la oscuridad, guía del camino de la Vida a la Vida, ante ti traigo un Sol de la mañana. No lo toques alguna vez con el poder de la noche. No llames a su flama a la oscuridad de la noche. Conócelo, y míralo, uno de nuestros hermanos, elevado desde la oscuridad hacia la Luz. Libera su flama de esta esclavitud, libre deja a su flama a través de la oscuridad de la noche".

Elevó entonces la mano de la figura, surgió una flama que creció clara y brillante. Dio vueltas rápidamente sobre la cortina de la oscuridad, develando el Salón de la oscuridad de la noche.

Entonces creció en el gran espacio ante mí, flama tras flama, desde el velo de la noche. Incontables millones saltaron ellos ante mí, algunos flameando como flores de fuego.

Otros había que emitían un resplandor tenue, fluyendo pero débilmente fuera de la noche.

Algunos había que caían rápidamente; otros que crecían de una pequeña chispa de luz. Cada uno rodeado por su tenue velo de oscuridad, no obstante flameante con luz que nunca podría ser apagada. Yendo y viniendo como luciérnagas en primavera, llenos con espacio, con Luz y con Vida.

Entonces se oyó una voz, poderosa y solemne, diciendo: "Estas son luces que son almas entre los hombres, creciendo y cayendo, existiendo por siempre, cambiando no obstante viviendo, a través de la muerte hacia la vida. Cuando han florecido, alcanzado el momento cumbre del crecimiento en su vida, rápidamente entonces envío mi velo de oscuridad, envolviendo y cambiando a nuevas formas de vida.

Continuamente hacia arriba a través de las eras, creciendo, expandiéndose en todavía otra flama, iluminando la oscuridad con aún un poder más grande, apagado no obstante encendido por el velo de la noche.

Así crece el alma del hombre siempre hacia arriba, apagada no obstante encendida por la oscuridad de la noche.

Yo, la Muerte, vengo, y no obstante no me quedo, puesto que la vida eterna existe en el TODO; solamente un obstáculo, Yo en el camino, rápido para ser conquistada por la luz infinita.

Despierta, Oh flama que arde siempre hacia el interior, surge y conquista el velo de la noche".

Entonces en el medio de las flamas en la oscuridad surgió una que empujó la noche, flameando, expandiéndose, siempre muy brillante, hasta que al fin no fue nada sólo Luz.

Entonces mi guía habló, la voz del maestro: Mira tu propia alma mientras crece en la luz, libérate ahora para siempre del Señor de la noche.

Hacia delante me guió a través de muchos grandes espacios llenos con los misterios de los Hijos de la Luz; misterios de los cuales el hombre quizá nunca conozca hasta que él, también, sea un Hijo de la Luz.

Retrocediendo entonces ÉL me guió hacia la Luz del salón de la Luz. Me arrodillé entonces ante los grandes Maestros, Señores de TODO de los ciclos de arriba.

Habló ÉL entonces con palabras de gran poder diciendo:

Liberado has sido de los Salones de Amenti. Elige tú el trabajo entre los hijos de los hombres.

Entonces hablé yo: Oh, gran maestro, permítame ser un maestro de los hombres, guiarlos hacia delante y arriba hasta que ellos, también, sean luces entre los hombres; liberados del velo de la noche que los rodea, flameando con luz que brillará entre los hombres.

Me habló entonces la voz: Anda, como sea tu voluntad. Así sea decretado. Maestro eres tú de tu destino, libre de tomar o rechazar como sea tu voluntad. Toma tu poder, toma tu sabiduría. Brilla como una luz entre los hijos de los hombres.

Hacia arriba entonces, me guió el Morador. Habité de nuevo entre los hijos de los hombres, enseñando y mostrando algo de mi sabiduría; Hijo de la Luz, un fuego entre los hombres.

Ahora nuevamente piso el camino hacia abajo, buscando la luz en la oscuridad de la noche. Los marco y los guardo, preserven mi registro, guía será para los hijos de los hombres.

LAS TABLAS ESMERALDA DE THOTH

TABLA III

** LA CLAVE DE LA SABIDURÍA **

Yo, Thoth, El Atlante, doy mi sabiduría, doy mi conocimiento, doy mi poder. Libremente lo doy a los hijos de los hombres. Dado eso que ellos, también, tengan sabiduría para brillar desde el velo de la noche a través del mundo.

La sabiduría es poder y el poder es sabiduría, una con la otra, perfeccionando el todo.

No seas orgulloso, Oh hombre, en tu sabiduría. Conversa con el ignorante así como también con el sabio. Si alguien llega a ti lleno de conocimiento, escucha y pon atención, puesto que la sabiduría es todo.

No te mantengas en silencio cuando lo malo sea hablado por Verdad, como el sol brilla sobre todo. Aquel que sobrepasare la Ley castigado será, puesto que solamente a través de la Ley llega la libertad de los hombres. Que no te cause miedo, ya que el miedo es un límite, un grillete que ata a los hombres a la oscuridad.

Sigue tu corazón durante tu vida. Haz más de lo que es esperado de ti. Cuando hayas ganado riquezas, sigue tu corazón, puesto que éstas de provecho no son si tu corazón está cansado. No disminuyas el tiempo de seguir a tu corazón. Es aborrecimiento del alma.

Aquellos que son guiados no se pierden, pero esos que están perdidos no pueden encontrar un sendero recto. Si andas entre los hombres, hazlo por ti mismo, Ama, el inicio y el fin del corazón.

Si alguien viniere a ti por consejo, deja que hable libremente, que aquello por lo que ha venido a ti sea hecho. Si duda en abrir su corazón a ti, es por causa tuya, el juicio, es incorrecto.

No repitas un diálogo extravagante, ni lo escuches, puesto que es la palabra de uno que no está en equilibrio. No hables de eso, para que el que esté frente a ti conozca la sabiduría.

El silencio es de gran beneficio. Una abundancia de diálogo no es de provecho. No exaltes tu corazón sobre los hijos de los hombres, para que no sea llevado más abajo que el polvo.

Si eres grande entre los hombres, sé honrado por el conocimiento y la gentileza. Si buscas conocer la naturaleza de un amigo, no pidas su compañía, sino pasa un tiempo a solas con él. Debate con él, probando su corazón por sus palabras y su porte.

Eso que va a guardarse debe surgir, y las cosas que son tuyas deben compartirse con un amigo.

El conocimiento considerado por el tonto como ignorancia, y las cosas que son de provecho son hirientes para él. Él vive en la muerte. Es, por lo tanto, su alimento.

El hombre sabio permite que su corazón se desborde, pero mantiene en silencio su boca. Oh hombre, escucha a la voz de la sabiduría, escucha a la voz de la luz.

Misterios existen en el Cosmos que revelados llenan al mundo con su luz. Permitan al que sería libre de los límites de la oscuridad primero distinga lo material de lo no material, el fuego de la tierra, puesto que sepan que cuando la tierra desciende a la tierra, así también el fuego desciende sobre el fuego y se vuelve uno con el fuego. Aquel que conoce el fuego que está en su interior ascenderá hacia el fuego eterno y morará en él eternamente.

El fuego, el fuego interno, es la más potente de toda fuerza, puesto que sobrepasa las cosas y penetra a todas las cosas de la Tierra. El hombre se soporta solamente hasta donde pueda resistir. Así que la Tierra debe resistir al hombre si no existiera.

Todos los ojos no ven con la misma visión, puesto que para uno un objeto parece de una forma y color y diferente para el ojo de otro. Así también el fuego infinito, cambiando de color a color, nunca es el mismo día a día.

Así, hablo yo, THOTH, de mi sabiduría, puesto que un hombre es un fuego ardiendo a través de la noche; nunca es apagado en el velo de la oscuridad, nunca es apagado por el velo de la noche.

Dentro de los corazones de los hombres, busqué mi sabiduría, no los encontré libres de la esclavitud de la disputa. Liberen de las dificultades, a su fuego, oh mi hermano, ¡para que no sean sepultados en la sombra de la noche!

Escucha, oh hombre, y escucha esta sabiduría: ¿en dónde termina el nombre y la forma? Solamente en la conciencia, invisible, una fuera infinita de resplandor brilla. Las formas que creas iluminando su visión son verdaderamente efectos que siguen tu causa.

El hombre es una estrella ligada a un cuerpo, hasta el final, él es liberado a través de su contienda. Solamente por medio de lucha y trabajo lo más duro que puedas, la estrella dentro de ti brotará a una nueva vida. Para el que conoce el comienzo de todas las cosas, libre es su estrella del reino de la noche.

Recuerda, oh hombre, que todo lo que existe solamente es otra forma de eso que no existe. Todo lo que tiene ser está pasando a otro ser y tu mismo no eres una excepción.

Considera la Ley, puesto que todo es Ley. No busques eso que no sea de la Ley, puesto que tal cosa existe solamente en las ilusiones de los sentidos. La sabiduría llega a todos sus hijos incluso cuando ellos vienen a la sabiduría.

Todo a través de las eras, ha sido escondido de la luz. Despierta, oh hombre, y se sabio.

En lo profundo de los misterios de la vida he viajado, buscando e indagando eso que está escondido.

Escúchate, oh hombre, y se sabio. Lejos debajo de la corteza terrestre, en los Salones de Amenti, misterios vi que están escondidos de los hombres.

Con frecuencia he caminado por el profundo pasaje escondido, mirado en la Luz que es la Vida entre los hombres. Ahí debajo de las flores de la Vida siempre viviente, busqué los corazones y los secretos de los hombres. Encontré que el hombre está viviendo en la oscuridad, la luz del gran fuego está escondida en el interior.

Ante los Señores de la escondida Amenti aprendí la sabiduría que doy a los hombres.

Maestros son ellos de la gran Sabiduría Secreta, traída del futuro del fin de la infinidad. Siete son ellos, los Señores de Amenti, señores ellos de los Niños de la Mañana, Soles de los ciclos, Maestros de Sabiduría.

¿No están formados ellos como los hijos de los hombres? TRES, CUATRO, CINCO Y SEIS, SIETE, OCHO, NUEVE son los títulos de los Maestros de los hombres.

Del distante futuro, sin forma no obstante formándose, llegaron ellos como maestros para los hijos de los hombres. Viven ellos para siempre, no obstante no de la vida, sin lazos a la vida y no obstante libres de la muerte.

Gobiernan ellos para siempre con infinita sabiduría, ligados sin estar ligados a los oscuros Salones de la Muerte. La vida que ellos tienen, vida que no es vida, libres de todo ellos son los Señores del TODO.

De ellos surgió el Logos, instrumentos ellos del poder sobre todo. Vasto es su semblante, no obstante escondidos en la pequeñez, formados por una formación, conocidos pero desconocidos.

TRES mantiene la clave de toda la magia escondida, creador él de los salones de los Muertos; enviando poder, envolviendo con oscuridad, atando a las almas de los hijos de los hombres; enviando la oscuridad, atando la fuerza del alma; director de lo negativo de los hijos de los hombres.

CUATRO es el que suelta el poder. Señor, él, de la Vida de los hijos de los hombres. La luz es su cuerpo, la flama es su semblante; libertador de almas para los hijos de los hombres.

CINCO es el maestro, el Señor de toda la magia – Llave a La Palabra que resuena entre los hombres.

SEIS es el Señor de la Luz, el camino oculto, camino de las almas de los hijos de los hombres.

SIETE es aquel que es el Señor de la vastedad, maestro del Espacio y la llave de los Tiempos.

OCHO es el que pone orden al progreso; pesa y equilibra el viaje de los hombres.

NUEVE es el padre, vasto es su semblante, formándose y cambiando de lo que no tiene forma.

Medita sobre los símbolos que te doy. Claves son ellos, aunque escondidas de los hombres.

Ve siempre hacia arriba, oh Alma de la mañana. Gira tus pensamientos hacia la Luz y la Vida. Encuentra las claves de los números que te traigo, ilumina el camino de la vida hacia la vida.

Busca con sabiduría. Lleva tus pensamientos al interior. No cierres tu mente a la flor de la Luz.

Coloca en tu cuerpo una imagen formada de pensamiento. Piensa en los números que te guían a la Vida.

Claro es el camino al que tiene sabiduría. Abre la puerta al Reino de la Luz.

Vierte tu flama como un Sol de la mañana. Apaga la oscuridad y vive en el día.

Toma, ¡oh hombre! Como parte de tu ser, a los Siete que son pero no son como parecen. He abierto, ¡oh hombre!, yo mi sabiduría. Sigue el camino en la forma que he guiado.

Maestros de Sabiduría. SOL de la LUZ DE LA MAÑANA y VIDA para los hijos de los hombres.

LAS TABLAS ESMERALDA DE THOTH

TABLA IV

** EL NACIDO DEL ESPACIO **

Escucha, oh hombre, la voz de la sabiduría, escucha la voz de THOTH, el Atlante.

Libremente doy a ustedes mi sabiduría, reunida del tiempo y espacio de este ciclo; maestro de los misterios, SOL de la mañana, viviendo por siempre, un niño de la LUZ, brillando con resplandor, estrella de la mañana. THOTH el maestro de los hombres, es de TODOS. Hace mucho tiempo, yo en mi niñez, yacía debajo de las estrellas en la hace tiempo enterrada ATLÁNTIDA, soñando con los misterios lejos de los hombres.

Entonces en mi corazón creció un gran anhelo por conquistar el camino que guiaba a las estrellas. Año tras año, busqué la sabiduría, buscando nuevo conocimiento, siguiendo el camino, hasta que al fin mi ALMA, en gran labor, se liberó de su esclavitud y se apartó.

Libre fui de la esclavitud del hombre terrestre. Libre del cuerpo, destellé a través de la noche. Abierto para mí, al fin, estaba el espacio estelar. Libre fui de la esclavitud de la noche. Ahora en el fin del espacio busqué sabiduría, mucho más allá del conocimiento del hombre finito. Lejos en el espacio, mi ALMA viajó libremente hacia el círculo de luz de la infinidad. Extraños, más allá del conocimiento, eran algunos de los planetas, grandes y gigantes, más allá de los sueños de los hombres. No obstante encontré la Ley, en toda su belleza, trabajando a través y entre ellos como aquí entre los hombres.

Proyecté mi alma a través de la belleza de la infinidad, lejos a través del espacio volé con mis pensamientos. Descansé ahí en un planeta de belleza. Variedades de armonía llenaban el aire. Formas habían, moviéndose en Orden, grandes y majestuosas como estrellas en la noche; organizadas en armonía, en equilibrio ordenadas, símbolos de lo Cósmico, como en la Ley. Muchas de las estrellas pasé en mi viaje, muchas de las razas de los hombres en sus mundos; algunos llegando alto como las estrellas de la mañana, algunos cayendo bajo en la negrura de la noche. Todos y cada uno de ellos luchando, ganando las alturas y sondando, moviéndose a veces en los planos de la brillantez, viviendo a través de la oscuridad, ganando la Luz. Sabe, oh hombre, que la Luz es tu herencia.

Sabe que la oscuridad solamente es un velo. Sellado en tu corazón está el resplandor eterno, esperando el momento de libertad para conquistar, esperando por desgarrar el velo de la noche. Algunos encontré que habían conquistado lo etéreo. Libres del espacio estaban ellos no obstante eran hombres. Usando la fuerza que es la base de TODAS las cosas, lejos en el espacio construyeron ellos un planeta, atraídos por la fuerza que fluye a través de TODO; condensando, fusionando lo etéreo en formas, que crecieron como ellos desearon.

Aventajados en ciencias, ellos, todas las razas, poderosos en sabiduría, hijos de las estrellas. Largo tiempo me detuve, observando su sabiduría. Los vi crear de las gigantescas ciudades etéreas de rosas y oro. Formadas del elemento primario, base de toda la materia, lo etéreo extenso. Lejos en el pasado, ellos habían conquistado lo etéreo, liberados de la esclavitud del trabajo duro; formaban en su mente solamente una imagen y rápidamente se creaba, crecía.

Después, mi alma se apresuró, a través del Cosmos, siempre viendo, cosas nuevas y viejas; aprendiendo que el hombre verdaderamente es nacido del espacio, un Sol del Sol, un hijo de las estrellas. Sus cuerpos no son nada más que planetas girando alrededor de sus centros solares. Cuando hayan ganado la luz de toda la sabiduría, libres serán para brillar en lo etéreo? uno de los Soles que brilla en la oscuridad exterior – uno de los nacidos del espacio que llegó a ser Luz. Así como las estrellas a tiempo pierden su brillo, la luz pasa de ellas a la gran fuente, así, oh hombre, el alma pasa hacia delante, dejando detrás la oscuridad de la noche.

Formado tú, de lo etéreo primario, lleno con el brillo que fluye de la fuente, atado por lo etéreo fusionado alrededor, no obstante siempre ardiendo hasta que, al fin, eres libre. Viajé yo a través del espacio-tiempo, sabiendo que mi alma, al fin, era puesta en libertad, sabiendo que ahora debo buscar la sabiduría. Hasta que al final, pasé a un plano, oculto del conocimiento, no conocido para la sabiduría, una extensión más allá de todo lo que conocemos. Ahora, oh hombre, cuando tuve este conocimiento, feliz mi alma creció, puesto que ahora era libre. Escucha, tu nacido del espacio, escucha mi sabiduría; no sabes que tú, también, serás libre.

Escucha nuevamente, oh hombre, a mi sabiduría, que escuchando, tú también, puedes vivir y ser libre. No de la tierra eres tú – terrestre, sino hijo de la Infinita Luz Cósmica.

¿No sabes tú, oh hombre, de tu herencia? ¿No sabes que tú eres verdaderamente de la Luz? Sol del Gran Sol, cuando ganas sabiduría, verdaderamente consciente eres de tu parentesco con la Luz. Ahora, a ti, doy mi conocimiento, libertad para andar por el camino que he caminado, mostrándote verdaderamente cómo, con esfuerzo, anduve por el camino que lleva a las estrellas. Escúchate, oh hombre, y conoce tu esclavitud, sábete cómo liberarte de los problemas. Fuera de la oscuridad te elevarás, uno con la Luz y uno con las estrellas.

Sigue siempre el camino de la sabiduría. Solamente desde aquí te elevas desde abajo. El destino del hombre siempre lo lleva hacia delante, hacia las Curvas del TODO infinito. Sábete, oh hombre, que todo el espacio está ordenado. Solamente por medio del Orden eres Uno con el TODO. El Orden y el Equilibrio son la Ley del Cosmos. Síguela y serás Uno con el TODO. Aquel que siguiera el camino de la sabiduría, abierto debe estar a la flor de la vida, extendiendo su conciencia fuera de la oscuridad, fluyendo a través de tiempo y del espacio en el TODO. Profundo en el silencio, primero debes perdurar hasta que al fin seas libre del deseo, libre del anhelo de hablar en el silencio.
Conquista por el silencio, la esclavitud de las palabras. Absteniéndote de comer hasta que hayamos conquistado el deseo por la comida, que es la esclavitud del alma.
Después yace en la oscuridad. Cierra tus ojos de los rayos de la Luz. Centra tu fuerza del alma en el lugar de tu conciencia, liberándola de las ataduras de la noche.
Coloca en tu mente la imagen que desees. Imagina el lugar que desees ver. Vibra de aquí para allá con tu poder. Desaten el alma de su noche. Ferozmente debes sacudirte con todo tu poder hasta que al final su alma sea libre. Poderosa más allá de las palabras es la flama de lo Cósmico, colgando en los planos, desconocida para el hombre; poderosa y equilibrada, moviéndose en Orden, música de las armonías, mucho más allá del hombre. Hablando con música, cantando con color, arde desde el inicio de TODA la eternidad. Chispa de la flama son ustedes, oh mis niños, ardiendo con color y viviendo con música. Escuchen la voz y ustedes serán libres.

La libre conciencia está fusionada con lo Cósmico, Una con el Orden y Ley del TODO. Que no sabes hombre, que de la oscuridad, la Luz surgirá, un símbolo del TODO. Haz esta oración por logro o sabiduría. Ora por la llegada de la Luz al TODO. Poderoso ESPÍRITU de LUZ que brilla a través del Cosmos, lleva mi flama más cerca en armonía hacia ti. Eleva mi fuego de la oscuridad, magneto del fuego que Uno con el TODO. Eleva mi alma, tú poderoso y fuerte. Hijo de la Luz, no te apartes. Llévame en poder para fundirme en tu horno; Uno con todas las cosas y todas las cosas en Uno, fuego del esfuerzo de vida y Uno con el Cerebro.

Cuando hayas liberado tu alma de su esclavitud, sábete que para ti la oscuridad se ha ido. Siempre a través del espacio puedes buscar sabiduría, atados no están los grilletes en la carne. Hacia delante y arriba hacia la mañana, destella libre, oh Alma, hacia los planos de la Luz. Muévete en Orden, muévete en Armonía, libremente te moverás con los Hijos de la Luz. Busca y conoce, mi LLAVE a la Sabiduría. Así, oh hombre, seguramente serás libre.

LAS TABLAS ESMERALDA DE THOTH

TABLA V

** EL MORADOR DE UNAL **

Con frecuencia sueño con la sepultada Atlántida, perdida en las eras que han pasado a la noche. Eón tras Eón exististe en la belleza, una luz brillando a través de la oscuridad de la noche.

Poderoso en poder, gobernando a los nacidos en la tierra, Señor en la Tierra en los días de la Atlántida.

Rey de las naciones, maestro de sabiduría, LUZ a través de SUNTAL, guardián del camino, habitó en su TEMPLO, el MAESTRO DE UNAL, LUZ de la Tierra en los días de la Atlántida.

Maestro, ÉL, de un ciclo más allá de nosotros, viviendo en cuerpos como uno entre los hombres.

No como el nacido en la tierra, ÉL más allá de nosotros, SOL de un ciclo, avanzó más allá de los hombres.

Sábete, oh hombre, que HORLET el Maestro, nunca fue uno con los hijos de los hombres.

Lejos en la época pasada cuando la Atlántida creció primero como un poder, apareció ahí uno con la CLAVE de la SABIDURÍA, mostrando el camino de la LUZ a todos.

Mostró él a todos los hombres el camino del logro, el camino de la Luz que fluye entre los hombres. Dominando la oscuridad, guiando al ALMA HUMANA, hacia las alturas que eran Una con la Luz.

Dividió los Reinos, ÉL en secciones.

Diez fueron ellas, gobernadas por los hijos de los hombres.

Sobre otra, construyó ÉL un TEMPLO, construida pero no por los hijos de los hombres.

De lo ETÉREO llamó ÉL su sustancia, moldeada y formada por el poder de YTOLAN en las formas que ÉL construyó en Su mente.

Milla sobre milla cubrió la isla, espacio tras espacio creció en su poder.

Negra, no obstante no negra, sino oscura como el espacio-tiempo, profunda en su corazón la ESENCIA de LUZ. Rápidamente el TEMPLO se hizo físico, moldeado y formado por la PALABRA del MORADOR, extraído de lo que no tiene forma a lo que sí.

Construyó ÉL entonces, dentro de éste, grandes cámaras, lo llenó con formas que surgieron de lo ETÉREO, lo llenó con sabiduría surgida de Su mente.

Carente de forma era ÉL dentro de su TEMPLO, no obstante formado estaba ÉL a imagen del hombre.

Habitando entre los hombre no obstante no uno de ellos, extraño y muy diferente era ÉL de los hijos de los hombres.

Eligió ÉL entonces de entre las personas, a TRES que se volvieron su portal.

Eligió ÉL a los TRES de los Superiores para que se volvieran sus enlacen con la Atlántida.

Mensajeros ellos, quienes trajeron su consejo, para los reyes de los hijos de los hombres.

Trajo ÉL a los demás y les enseñó sabiduría; maestros, ellos, para los hijos de los hombres. Los colocó ÉL en la isla de UNDAL para que permanecieran como maestros de LUZ para los hombres.

Cada uno de esos que fueron, así, elegidos, enseñado debe ser por años cinco y diez.

Solamente así podría él tener entendimiento para traer la LUZ a los hijos de los hombres. Así llegaron a estar dentro del Templo, una morada para el Maestro de los hombres.

Yo, THOTH, siempre he buscado sabiduría, buscando en la oscuridad y buscando en la Luz.

Mucho en mi juventud anduve por el camino, buscando siempre ganar nuevo conocimiento.

Hasta después de mucho esfuerzo, uno de los TRES, trajo a mí la LUZ.

Me trajo ÉL a mí las órdenes del MORADOR, me llamó de la oscuridad hacia la LUZ. Me trajo ÉL, ante el MORADOR, en lo profundo del Templo ante el gran FUEGO.

Ahí en el gran trono, contemplé yo, al MORADOR, vestido con la LUZ y destellando con fuego. Me arrodillé ante la gran sabiduría, sintiendo la LUZ fluir a través de mí en oleadas.

Escuché entonces la voz del MORADOR: ?Oh oscuridad, ven a la Luz. Por largo tiempo has buscado el camino a la LUZ.

Cada alma en la tierra que afloja sus grilletes, pronto será libre de la esclavitud de la noche.

De la oscuridad has tu surgido, te has acercado más a la Luz de tu objetivo.

Aquí habitarás como uno de mis hijos, guardián de los registros reunidos por la sabiduría, instrumento tú de la LUZ de más allá.

Listo por ti debe hacerse lo que sea necesario, la preservación de la sabiduría a través de las eras de oscuridad, que llegará rápido a los hijos de los hombres.

Vive aquí y bebe toda la sabiduría.

Los secretos y misterios en ti serán revelados?.

Entonces contesté yo, el MAESTRO DE LOS CICLOS, diciendo: ?Oh Luz, que descendió a los hombres, dame de tu sabiduría para que pueda ser un maestro de los hombres. Dame de tu LUZ para que pueda ser libre?.

Me habló entonces nuevamente, el MAESTRO: ?Era tras era vivirás a través de tu sabiduría, sí, cuando sobre la Atlántida las olas marinas se muevan, manteniendo la Luz, aunque escondida en la oscuridad, lista para surgir cuando sea que la llames.

Ve tú ahora y aprende gran sabiduría. Crece tú a través de la LUZ para TODA la Infinidad?.

Por mucho tiempo habité yo entonces en el Templo del MORADOR hasta que, al fin, fui Uno con la LUZ.

Seguí entonces el camino a los planos estelares, seguí después el camino a la LUZ.

En lo profundo del corazón de la Tierra seguí el camino, aprendiendo los secretos, como es abajo es arriba; conociendo el camino a los SALONES de AMENTI, conociendo la LEY que equilibra el mundo.

A las cámaras ocultas de la Tierra penetré yo por mi sabiduría, en lo profundo a través de la corteza de la Tierra, hacia el camino, escondido por eras de los hijos de los hombres.

Revelada ante mí, mucha más sabiduría hasta que alcancé un nuevo conocimiento: encontré que todo es parte de un TODO, grande y aún más grande que todo lo que conocemos.

Busqué yo el corazón de la Infinidad a través de todas las eras.

En lo profundo y aún más profundo, más misterios encontré.

Ahora, cuando miro hacia las eras pasadas, sé que esa sabiduría es ilimitada, siempre creciendo más a través de las eras, Una con la de la Infinidad, más grande que todo.

Luz había en la antigua Atlántida. No obstante, la oscuridad, también, estaba oculta en todo.

Cayeron de la Luz hacia la oscuridad, algunos que se habían elevado hacia las alturas entre los hombres.

Orgullosos estaban por su conocimiento, orgullosos estaban de su lugar entre los hombres. Profundo hurgaron ellos en lo prohibido, abrieron el portal que llevaba hacia abajo.

Buscaron ellos ganar aún más conocimiento pero buscando traerlo desde abajo.

El que descienda debe tener equilibrio, si no es esclavizado por la falta de nuestra Luz.

Abrieron ellos, entonces, por su conocimiento, caminos prohibidos al hombre.

Pero, en Su Templo, el que todo ve, el MORADOR, yace en su AGWANTI (no existe una traducción para esta palabra? se refiere a un estado de desprendimiento), mientras que a través de la Atlántida, Su alma vagaba libre.

Vio ÉL a los Atlantes, por su magia, abrir el portal que traería a la Tierra una gran tragedia.

Rápido voló Su alma entonces, de regreso a Su cuerpo. ÉL se levantó de Su AGWANTI. Llamó ÉL a los Tres poderosos mensajeros. Dio órdenes de destruir el mundo. En lo profundo debajo de la corteza de la Tierra a los SALONES de AMENTI, rápidamente descendió el MORADOR. Llamó ÉL entonces a los poderes de los Siete Señores blandidos; cambió el equilibrio de la Tierra.

Se hundió la Atlántida por debajo de las oscuras olas. Se destruyó el portal que había sido abierto; se destruyó el portal que llegaba abajo. Todas las islas fueron destruidas excepto UNAL, y parte de la isla de los hijos del MORADOR.

Los preservó ÉL para ser los maestros, Luces en el camino para aquellos que vendrían después, Luces para los hijos menores de los hombres.

Él entonces me llamó, a mí THOTH, ante él, me dio órdenes para todo lo que debería hacer, diciendo: ?Toma tú, oh THOTH, toda tu sabiduría.

Toma todos tus registros. Toma toda tu magia. Ve tú y surge como un maestro de los hombres. Ve tú y surge reservando los registros hasta que a su tiempo la LUZ crezca entre los hombres. LUZ serás tú a través de todas las eras, oculta no obstante encontrada por los hombres iluminados. Sobre toda la Tierra, NOSOTROS te damos poder, libre eres de tomarlo o dejarlo.

Reúne ahora a los hijos de la Atlántida. Tómalos y huye de las personas de las cuevas de piedra. Vuela a la tierra de los Hijos de KHEM?. Entonces reuní yo a los hijos de la Atlántida. Hacia el espacio traje todos mis registros, traje los registros de la hundida Atlántida. Reuní todos mis poderes, instrumentos muchos de poderosa magia.

Entonces nos levantamos en alas de la mañana. Alto nos elevamos sobre el Templo, dejando detrás a los Tres y al MORADOR, en lo profundo en los SALONES debajo del Templo, cerrando el camino a los SEÑORES de los Ciclos.

No obstante, siempre para el que tenga conocimiento, abierto estará el camino a AMENTI. Rápido volamos entonces en las alas de la mañana, volamos a la tierra de los hijos de KHEM. Ahí por mi poder, los conquisté y goberné.

Elevé hacia la LUZ, a los hijos de KHEM. En lo profundo debajo de las rocas, enterré mi nave, esperando el tiempo en el que el hombre pudiera ser libre.

Sobre la nave, erigí una señal en la forma de un león no obstante como un hombre. Ahí debajo de la imagen descansa aún mi nave, para ser traída cuando necesite elevarse.

Sábete, oh hombre, que lejos en el futuro, invasores vendrán de la profundidad. Entonces despierta, tú que tienes sabiduría. Trae mi nave y conquista con facilidad. En lo profundo debajo de la imagen yace mi secreto. Busca y encuentra en la pirámide que construí.

Cada una de las otras es la Piedra Angular; cada uno de los portales lleva hacia la VIDA. Sigue la CLAVE que dejo detrás de mí.

Busca y el portal a la VIDA será tuyo. Busca tú en mi pirámide, en el fondo del pasaje que termina en una pared.

Usa tú la CLAVE de los SIETE, y abierto a ti el camino caerá. Ahora a ti he dado mi sabiduría. Ahora a ti he dado mi camino.

Sigue el camino. Resuelve tú mis secretos. A ti he mostrado el camino.

LAS TABLAS ESMERALDA DE THOTH

TABLA VI

** LA CLAVE DE LA MAGIA **

Escucha, oh hombre, a la sabiduría de la magia. Escucha el conocimiento de los poderes olvidados. Hace tiempo, en los días del primer hombre, la guerra comenzó entre la oscuridad y la luz. El hombre, entonces como ahora, estaba lleno tanto con oscuridad como con luz; y mientras que en algo de la oscuridad el infierno dominaba, en otra parte la luz llenaba el alma. Sí, antigua es esta guerra, la eterna lucha entre la oscuridad y la luz. Ferozmente es peleada a través de todas las eras, usando poderes extraños ocultos al hombre.

Adeptos han sido llenados con la negrura, luchando siempre en contra de la luz; pero otros hay quienes, llenos con resplandor, siempre han conquistado la oscuridad de la noche. En donde sea que estén en todas las eras y planos, seguramente, sabrás de la batalla con la noche. Hace muchas eras, los SOLES de la Mañana descendiendo, encontraron el mundo lleno con la noche, ahí en ese pasado, comenzó la lucha, la antigua Batalla de Oscuridad y Luz. Muchos en el tiempo estuvieron tan llenos con oscuridad que débilmente llameaban la luz de la oscuridad.

Existieron algunos, maestros de la oscuridad, quienes buscaron llenar todo con su oscuridad; buscaron atraer a otros hacia su noche. Ferozmente resistieron ellos, los maestros del resplandor; ferozmente pelearon ellos desde la oscuridad de la noche, buscaron siempre aflojar los grilletes, las cadenas que atan a los hombres a la oscuridad de la noche. Usaban éstos siempre la magia negra, trayendo a los hombres por medio del poder de la oscuridad.

Magia que cubrió el alma del hombre con oscuridad. Reunidos como en una orden, LOS HERMANOS DE LA OSCURIDAD, ellos a través de las eras, antagonistas ellos de los hijos de los hombres. Caminaron siempre en secreto y ocultos, encontrados no obstante no encontrados por los hijos del hombre. Por siempre, ellos caminaron y trabajaron en la oscuridad, escondiéndose de la luz en la oscuridad de la noche. Silenciosa y secretamente usan ellos su poder, esclavizando y atando el alma de los hombres.

Sin ser vistos vienen, y sin ser vistos se van. El hombre, en su ignorancia los llama a ELLOS de abajo.

La oscuridad es el camino del viaje de los HERMANOS OSCUROS, negro de oscuridad no de la noche, viajando sobre la Tierra ellos caminan a través de los sueños del hombre. Poder han ganado ellos de la oscuridad a su alrededor para hacer un llamado a los moradores de su plano a que salgan, en formas que son oscuras y no vistas por el hombre. Dentro de la mente-espacio del hombre llegan los HERMANOS OSCUROS.

Alrededor de ella, cierran ellos el velo de su noche. Ahí a través de su vida, esa alma habita en esclavitud, atada por los grilletes del VELO de la noche. Poderosos son ellos en el conocimiento prohibido, prohibido porque es uno con la noche.

Escucha tú, oh hombre mayor y escucha mi advertencia: libérate de la esclavitud de la noche. No entregues tú alma a los HERMANOS DE LA OSCURIDAD. Mantén tu cara siempre volteada hacia la Luz. ¿No sabes, oh hombre, que tu pena solamente ha llegado a través del Velo de la noche? Sí hombre, pon atención a mi advertencia: lucha siempre hacia arriba, voltea tu alma hacia la LUZ. Los HERMANOS DE LA OSCURIDAD buscan a sus hermanos, aquellos que viajaron por el camino de la LUZ. Puesto que bien saben ellos que, aquellos que han viajado lejos hacia el Sol en su camino de LUZ, tienen gran y aún más grande para así poder atar con oscuridad a sus hijos de LUZ.

Escucha, oh hombre, al que viene a ti. Pero pon en la balanza si sus palabras son de LUZ. Puesto que muchos hay que caminan en el OSCURO RESPLANDOR y por lo tanto no son los hijos de la LUZ. Fácil es seguir su camino, fácil seguir el camino que ellos guían. Pero no obstante, oh hombre, pon atención a mi advertencia: la Luz solamente llega al que se esfuerza.

Duro es el camino que lleva a la LUZ. Muchas encontrarás, las piedras en tu camino; muchas las montañas para escalar hacia la LUZ.

No obstante sábete, oh hombre, que el que lo supere, libre estará en el camino de la Luz. Puesto que tú sabes, oh hombre, al FINAL la luz debe conquistar y la oscuridad y la noche deben desvanecerse en la Luz. Escucha, oh hombre, y pon atención a esta sabiduría; incluso como la oscuridad, así es la LUZ.

Cuando la oscuridad se desvanezca y todos los Velos finalicen, ahí brillará de la oscuridad, la LUZ. Incluso como existen entre los hombres los HERMANOS OSCUROS, así también existen los HERMANOS DE LA LUZ. Antagonistas ellos de los HERMANOS DE LA OSCURIDAD, buscando liberar a los hombres de la noche. Poderes tienen ellos, poderosos y potentes. Conociendo la LEY, a los planetas obedecen. Trabajan ellos siempre en armonía y orden, liberando el alma humana de su esclavitud de la noche. Secretos y ocultos, caminan ellos también. Conocidos no son para los hijos de los hombres. Siempre ELLOS han combatido a los HERMANOS OSCUROS, conquistado y conquistando el tiempo sin fin. No obstante siempre la LUZ al final dominará, apartando la oscuridad de la noche.

Sí, hombre, ten en cuenta este conocimiento: siempre a un lado de los tres caminan los Hijos de la Luz.

Maestros ellos del poder del SOL, siempre sin ser vistos no obstante los guardianes de los hombres. Abierto a todos está su camino, abierto al que caminará en la LUZ. Libres son ELLOS de la OSCURA AMENTI, libres de los SALONES, en donde la VIDA reina suprema. SOLES son ellos y SEÑORES de la mañana, Hijos de la Luz para brillar entre los hombres. Como el hombre son ellos y no obstante diferentes, nunca divididos estuvieron ellos en el pasado. UNO han sido ellos en la UNICIDAD eterna, a través de todo el espacio desde el inicio del tiempo. Arriba ellos llegaron en Unicidad con el TODO ÚNICO, desde el primer espacio, formado y no formado.

Al hombre han dado ellos secretos que deberá guardar y protegerlo de todo daño. Aquel que viajare por el camino del maestro, libre debe ser de la esclavitud de la noche. Conquistar debe lo que no tiene forma y configuración, conquistar debe al fantasma del miedo. Conociendo, debe él ganar todos los secretos, viajar por el camino que guía a través de la oscuridad, sin embargo, siempre delante de él, mantener la luz de su meta.

Grandes obstáculos encontrará en el camino, no obstante avanzar debe hacia la LUZ del SOL. Escucha, oh Hombre, el SOL es el símbolo de la LUZ que brilla al final de tu camino. Ahora a ti doy los secretos: ahora para enfrentarte al poder oscuro, encuentra y conquista el miedo de la noche. Solamente conociendo puedes conquistar, solamente conociendo puedes tener LUZ.

Ahora doy a ti el conocimiento, sabido por los MAESTROS, el conocimiento que conquista todos los miedos oscuros. Usa esto, la sabiduría que te doy. MAESTRO serás de LOS HERMANOS DE LA NOCHE. Cuando a ti llegue un sentimiento, atrayéndote más al portal más oscuro, examina tu corazón y averigua si el sentimiento que tienes ha venido del interior. Si encontraras la oscuridad en tus propios sentimientos, desvanécelos de tu mente.

Envía a través de tu cuerpo una ola de vibración, irregular primero y regular después, repitiéndolo una y otra vez hasta que estés libre. Comienza la FUERZA DE LA OLA en tu CENTRO CEREBRAL. Dirígela en oleadas de tu cabeza a tus pies. Pero si encuentras que tu corazón no está oscurecido, estate seguro que una fuerza es dirigida a ti. Solamente por medio del conocimiento puedes superarla. Solamente por medio de la sabiduría puedes tú esperar ser libre. El conocimiento trae sabiduría y la sabiduría es poder. Alcánzala y tendrás poder sobre todo.

Encuentra primero un lugar atado por la oscuridad. Coloca un círculo a tu alrededor. Permanece derecho en medio del círculo. Usa esta fórmula, y serás libre. Eleva tus manos hacia el espacio oscuro sobre ti. Cierra tus ojos y atrae la LUZ. Llama al ESPÍRITU DE LA LUZ a través del Espacio-Tiempo, usando estas palabras y serás libre: "Llena mi cuerpo, OH ESPÍRITU DE VIDA, llena mi cuerpo con el ESPÍRITU DE LUZ. Ven desde la FLOR que brilla a través de la oscuridad. Ven desde los SALONES en donde gobiernan los Siete Señores. Los llamo por su nombre, Yo, a los Siete: TRES, CUATRO, CINCO y SEIS, SIETE, OCHO – Nueve.

Por sus nombres los llamo para que me ayuden, me liberen y me salven de la oscuridad de la noche: UTANAS, QUERTAS, CHIETAL y GOYANA, HUERTAL, SEMVETA – ARDAL. Por sus nombres les imploro, libérenme de la oscuridad y llénenme con LUZ". Sábete, oh hombre, que cuando hayas hecho esto, serás libre de los grilletes que te atan, abandona la esclavitud de los hermanos de la noche.

¿No ves que los nombres tienen el poder de liberar por medio de la vibración los grilletes que atan? Úsalos cuando sea necesario para liberar tú a tu hermano para que él, también, pueda surgir de la noche. Tú, oh hombre, eres el que ayuda a tu hermano. No dejes que yazca en la esclavitud de la noche. Ahora a ti, doy mi magia. Tómala y habita en el camino de la LUZ. LUZ en ti, VIDA en ti, que el SOL seas tú en el ciclo superior.

LAS TABLAS ESMERALDA DE THOTH

TABLA VII

** LOS SIETE SEÑORES **

Escucha, oh hombre, y escucha mi Voz. Abre tu mente-espacio y bebe de mi sabiduría. Oscuro es el camino de la VIDA que viajas. Muchos son los obstáculos que yacen en tu camino. Busca siempre ganar más sabiduría. Alcánzala y será luz en tu camino. Abre tu ALMA, oh hombre, a lo Cósmico y permite que fluya como uno con tu ALMA. La LUZ es eterna y la oscuridad es efímera. Sábete que siempre que la Luz llene tu ser, la oscuridad por ti pronto desaparecerá.

Abre tu alma a los HERMANOS DEL RESPLANDOR. Permíteles entrar y llenarte con LUZ. Eleva tu mirada hacia la LUZ del Cosmos. Mantén siempre tu cara hacia la meta. Solamente ganando la luz de toda sabiduría, eres uno con la meta Infinita. Busca siempre la Unidad eterna. Busca siempre la Luz hacia Uno. Escucha, oh hombre, escucha mi Voz cantando la canción de la Luz y de la Vida. A través de todo el espacio, la Luz es común, rodeando TODO con sus estandartes si arde. Busca por siempre en el velo de la oscuridad, en algún lugar seguramente encontrarás Luz. Escondida y enterrada, perdida para el conocimiento del hombre, en lo profundo de lo finito el infinito existe. Perdido, pero existente, fluyendo a través de todas las cosas, viviendo en TODO está el INFINITO CEREBRO.

En todo el espacio, solamente existe UNA sabiduría. A través de lo aparentemente decidido, es UNO en el UNO. Todo lo que existe surge de la Luz, y la LUZ surge del TODO. Todo lo creado está basado en el ORDEN. La LEY gobierna el espacio en el que habita lo INFINITO. Surgidos del equilibrio llegaron los grandes ciclos, moviéndose en armonía hacia el final del Infinito.

Sábete, oh hombre, que lejos en el espacio-tiempo, el INFINITO mismo pasará por un cambio. Escúchate y escucha la Voz de la Sabiduría: sábete que TODO es del TODO eternamente. Sábete que a través del tiempo puedes tú buscar la sabiduría y encontrar siempre más luz en el camino. Sí, la encontrarás siempre desvaneciéndose, tu objetivo te esquivará día tras día. Hace mucho tiempo, en los SALONES DE AMENTI, yo, THOTH, estuve frente a los SEÑORES de los ciclos. Poderosos, ELLOS en sus aspectos de poder; poderosos, ELLOS en la sabiduría revelada.

Guiado por el Morador, los vi por primera vez. Pero enseguida liberado fui de su presencia, libre de entrar a sus cónclaves a voluntad. Con frecuencia viajé al oscuro camino hacia el SALÓN en donde la LUZ siempre brilla. Aprendí de los Maestros de los ciclos, la sabiduría traída de los ciclos de arriba. Se manifiestan ELLOS en este ciclo como guías del hombre hacia el conocimiento del TODO. Siete son ellos, poderosos en poder, diciendo estas palabras a través de mí para los hombres. Repetidas veces, estuve frente a ellos escuchando las palabras que surgieron sin sonido. Una vez ELLOS me dijeron: oh hombre, ¿quisieras ganar sabiduría? Búscala en el corazón de la llama. ¿Quisieras ganar conocimiento de poder? Búscalo en el corazón de la llama. ¿Te gustaría ser uno con el corazón de la llama? Busca entonces dentro de ti la llama escondida.

Muchas veces me hablaron ELLOS, enseñándome sabiduría que no es de este mundo; mostrándome siempre nuevos caminos al resplandor; enseñándome sabiduría traída desde arriba. Dándome conocimiento de operación, aprendiendo de la LEY, el orden de TODO. Me hablaron nuevamente, los Siete, diciendo: desde más allá del tiempo somos NOSOTROS, oh hombre, viajamos desde más allá del ESPACIO-TIEMPO, sí, del lugar del fin de la Infinidad. Cuando tú y todos tus hermanos no tenían forma, formados fuimos NOSOTROS del orden del TODO. No como hombres NOSOTROS somos, aunque una vez NOSOTROS, también, fuimos como hombres. Del Gran Vacío fuimos NOSOTROS nacidos en orden por la LEY. Pero sepan que eso que está formado verdaderamente no tienen forma, solamente la tiene frente a sus ojos.

Y nuevamente, me hablaron los Siete, diciendo: Hijo de la LUZ, OH THOTH, eres tú, libre de viajar en el brillante camino hacia arriba hasta que al fin TODOS se vuelven UNO. NOSOTROS fuimos formados en nuestro orden: TRES, CUATRO, CINCO, SEIS, SIETE, OCHO,NUEVE. Sábete que éstos son los números de los ciclos en los que NOSOTROS descendimos hacia el hombre.

Cada uno teniendo aquí un deber que cumplir; cada uno teniendo aquí una fuerza que controlar. No obstante, nosotros somos UNO con el ALMA de nuestro ciclo. No obstante NOSOTROS también buscamos un objetivo. Más allá de la concepción del hombre, se extiende la Infinidad hacia algo más grande que el TODO. Ahí, en un tiempo que no obstante no es un tiempo, TODOS nos volveremos UNO con algo más grande que el TODO. El tiempo y el espacio se mueven en círculos. Sábete que su ley, y tú también, serán libres. Sí, libre serás de moverte a través de los ciclos? pasar lo guardianes que habitan en la entrada.

Entonces el NOVENO de ellos me habló diciendo: Eones y eones he existido, sin conocer la VIDA y sin probar la muerte. Pero sábete, oh hombre, que lejos en el futuro, la vida y la muerte serán uno con el TODO. Cada uno tan perfecto equilibrando al otro que ni siquiera existe en la Unicidad del TODO. En los hombres de este ciclo, la fuerza de vida es desenfrenada, pero la vida en su crecimiento se vuelve una con TODOS ellos. Aquí, manifiesto en esto tu ciclo, pero todavía estoy en tu futuro de tiempo. No obstante para mí, el tiempo no existe, puesto que en mi mundo el tiempo no existe, puesto que NOSOTROS somos sin forma. NOSOTROS no tenemos vida, pero tenemos existencia, más completa y más grande y más libre que la tuya.

El hombre es una llama vinculada a una montaña, pero NOSOTROS en nuestro ciclo seremos siempre libres. Sábete, oh hombre, que cuando hayas progresado en el ciclo que se extiende arriba, la vida misma pasará a la oscuridad y solamente la esencia del Alma permanecerá. Entonces me habló el SEÑOR del OCHO diciendo: Todo lo que conoces no es más que parte de algo pequeño. Hasta ahora no has tocado lo Grande. Lejos en el espacio en donde son supremos los seres de LUZ, surgí yo a la LUZ. Formado fui también, mas no como tú. Mi forma sin forma fue vuelta un Cuerpo de Luz. No conozco la VIDA y no conozco la MUERTE, no obstante maestro soy de todo lo que existe. Busca encontrar el camino a través de las barreras. Anda por el camino que lleva a la LUZ.

Nuevamente me habló el NUEVE diciendo: busca encontrar el camino al más allá. No es imposible crecer hacia una conciencia superior. Puesto que cuando DOS se han vuelto UNO y UNO se ha vuelto el TODO, deben saber que la barrera ha sido levantada, y son libres en el camino. Crece desde la forma a lo que no la tiene. Sé libre del camino.

Así, a través de las eras escuché, aprendiendo el camino al TODO. Ahora Elevo mis pensamientos a TODAS LAS COSAS. Escucha y pon atención cuando llaman.

OH LUZ, todo dominante, una con TODO y TODO con UNO, fluye en mí a través del canal. Entra para que pueda ser libre. Hazme UNO con TODAS LAS ALMAS, resplandeciendo desde la negrura de la noche. Permíteme ser libre de todo el espacio-tiempo, libre del Velo de la noche. Yo, un hijo de la LUZ, ordeno: Ser libre de la oscuridad. Sin forma soy para el Alma-Luz, sin forma no obstante resplandeciendo con luz. Sé que los vínculos de la oscuridad deben hacerse añicos y caer ante la luz.

Ahora te doy esta sabiduría. Libre seas, oh hombre, viviendo en la luz y en la brillantez. No voltees tu cara a la Luz. Tu alma habita en los reinos de la claridad. Tú eres un hijo de la Luz. Gira tus pensamientos hacia delante y hacia atrás. Encuentra el Alma-Luz interior. Sábete que tú eres el MAESTRO. Todo lo demás surge del interior. Crece hacia los reinos de la claridad. Mantén tu pensamiento en la Luz. Sábete que tú eres uno con el Cosmos, una llama y un Hijo de la Luz.

Ahora te doy una advertencia: no permitas que el pensamiento se aleje. Sábete que la claridad fluye a través de tu cuerpo. No veas hacia los HERMANOS OSCUROS que vienen de los HERMANOS DE NEGRO. Sino mantén tus ojos siempre elevados, y tu alma en tono con la Luz. Toma esta sabiduría y ponle atención. Escucha mi Voz y obedece. Sigue el camino a la claridad, y serás UNO con el camino.

LAS TABLAS ESMERALDA DE THOTH

TABLA VIII

** LA CLAVE DEL MISTERIO **

A ti, oh hombre, he dado mi conocimiento. A ti he dado la Luz. Ahora escucha y recibe mi sabiduría traída de los planos espaciales de arriba y más allá.

No soy como un hombre puesto que libre he estado de las dimensiones y planos. En cada uno de ellos, tomo un nuevo cuerpo. En cada uno de ellos, cambio mi forma. Ahora sé que lo que no tiene forma es todo lo que hay con forma.

Grande es la sabiduría de los Siete. Poderosos son ELLOS desde más allá. ELLOS se manifiestan a través de su poder, llenos con la fuerza de más allá.

Escucha estas palabras de sabiduría. Escúchalas y hazlas tuyas. Encuentra en ellas lo que no tiene forma. El misterio no es más que conocimiento oculto. Conoce y revelarás. Encuentra la sabiduría profundamente enterrada y sé maestro de la oscuridad y de la Luz.

Profundos son los misterios a tu alrededor, ocultos los secretos de lo Antiguo. Busca a través de las CLAVES de mi SABIDURÍA. Seguramente encontrarás el camino. El portal al poder es secreto, pero el que lo alcance, recibirá. ¡Mira la LUZ! Oh mi hermano. Abre y recibirás. Entra a través del valle de la oscuridad. Supera al morador de la noche. Mantén tus ojos siempre en el PLANO DE LA LUZ, y serás Uno con la LUZ.

El hombre está en un proceso de cambiar hacia formas que no son de este mundo. Crece él en el tiempo hacia lo que no tiene forma, un plano en el ciclo superior. Sábete, debes volverte sin forma antes de ser uno con la LUZ.

Escucha, oh hombre, a mi voz, hablando del camino hacia la Luz, mostrando el camino del logro cuando serás Uno con la Luz.

Busca los misterios del corazón de la Tierra. Aprende de la LEY que existe, manteniendo las estrellas en su equilibrio por la fuerza de la noche primordial. Busca la llama de la VIDA DE LA TIERRA. Báñate en el resplandor de su flama. Sigue el camino de las tres esquinas hasta que tú, también, seas una flama.

Habla con palabras sin voz a aquellos que habitan debajo. Entra al templo azul encendido y sumérgete en el fuego de toda la vida.

Sábete, oh hombre, que tú eres complejo, un ser de la tierra y del fuego. Deja que tu flama resplandezca luminosamente. Sé solamente el fuego.

La sabiduría está oculta en la oscuridad. Cuando sea encendida por la llama del Alma, encuentra la sabiduría y se un NACIDO DE LA LUZ, un Sol de la Luz sin forma. Busca siempre más sabiduría. Encuéntrala en el corazón de la llama.

Conoce eso solamente mediante el esfuerzo y vertiendo Luz en tu cerebro. Ahora he hablado con sabiduría. Escucha mi Voz y haz caso. Rasga y abre los Velos de la oscuridad. Enciende una LUZ en el CAMINO.

Hablo de la Antigua Atlántida, hablo de los días del Reino de las Sombras, hablo de la llegada de los hijos de las sombras. De la gran profundidad fueron llamados por la sabiduría de los hombres terrestres, llamados por el propósito de obtener gran poder.

Lejos en el pasado, antes de que existiera la Atlántida, fueron los hombres quienes hurgaron en la oscuridad, usando magia oscura, invocando seres de las grandes profundidades debajo de nosotros. Ellos surgieron en este ciclo. Sin forma eran ellos de otra vibración, existiendo sin ser vistos por los hijos de los hombres terrestres. Solamente a través de la sangre pudieron volverse seres con forma. Solamente a través del hombre pudieron ellos vivir en el mundo.

En eras pasadas fueron conquistados por Maestros, regresados al plano del cual vinieron. Pero hubo algunos que permanecieron, ocultos en espacios y planos desconocidos para el hombre. Vivieron ellos en la Atlántida como sombras, pero a veces aparecían entre los hombres. Sí, cuando se ofrecía sangre, puesto que venían a habitar entre los hombres.

En la forma de hombre, ellos, entre nosotros, pero solamente para verse como son los hombres. Con cabeza de serpiente cuando el glamour se acababa, pero como hombres entre los hombres. Se acercaron a los Consejos, tomando formas que eran como la de los hombres. Asesinando por sus artes a los jefes de los reinos, tomando su forma y gobernando sobre el hombre. Solamente por medio de la magia podían ser descubiertos. Solamente por el sonido podían ser vistas sus caras. Buscaron desde el Reino de las sombras destruir al hombre y gobernar en su lugar.

Pero, sábete, los Maestros eran poderosos en la magia, capaces de quitar el Velo de la cara de la serpiente, capaces de enviarla de regreso a su lugar. Vinieron ellos con el hombre y le enseñaron el secreto, la PALABRA que solamente un hombre puede pronunciar. Rápidamente quitaron ellos el Velo de la serpiente y la lanzaron del lugar entre los hombres.

No obstante, cuidado, la serpiente todavía vive en un lugar que está a veces abierto al mundo.

Sin ser vistas ellas caminan entre ustedes en lugares en donde se han hecho rituales. Nuevamente, cuando el tiempo pase, ellas tomarán la semblanza del hombre.

Pueden ser llamadas por el maestro que distingue lo blanco de lo oscuro, pero solamente el maestro blanco puede controlarlas y atarlas mientras están encarnadas.

No busques el reino de las sombras, puesto que seguramente aparecerá el mal. Ya que solamente el maestro de la claridad conquistará la sombra del miedo.

Sábete, oh hermano mío, que el miedo es un gran obstáculo. Sé maestro de todo en la claridad, y la sombra desaparecerá pronto. Escucha y pon atención a mi sabiduría, la voz de la LUZ es clara. No busques el valle de las sombras, y solamente la LUZ aparecerá.

Escucha, oh hombre, a la profundidad de mi sabiduría. Hablo del conocimiento oculto del hombre. Lejos he estado en mi viaje a través del ESPACIO-TIEMPO, incluso hasta el final del espacio de este ciclo. Sí, vislumbré los PERROS DE CAZA de la Barrera, echados en espera de quien pasara. En ese espacio en donde el tiempo no existe, débilmente sentí a los guardianes de los ciclos. Ellos solamente se mueven a través de los ángulos. No son libres de las dimensiones curvas.

Extraños y terribles son los PERROS DE CAZA de la Barrera. Ellos siguen la conciencia hasta los límites del espacio. No piensan escapar entrando a tu cuerpo, puesto que siguen rápidamente al Alma a través de los ángulos. Solamente el círculo te dará protección, salvación de las garras de los MORADORES DE ÁNGULOS.

Una vez, en el tiempo pasado, alcancé la gran Barrera, y vi en las orillas en donde el tiempo no existe, las formas sin forma de los PERROS DE CAZA de la barrera. Sí, escondidos en medio más allá del tiempo los encontré; y ELLOS, oliéndome a la distancia, se levantaron y su aullido se pudo escuchar de ciclo a ciclo y moverse a través del espacio hacia mi alma.

Huí entonces rápidamente ante ellos, de vuelta al impensable fin del tiempo. Pero ellos siempre me persiguieron, moviéndose en extraños ángulos no conocidos por el hombre.

Sí, en las grises orillas del fin del ESPACIO-TIEMPO encontré a los PERROS DE CAZA de la Barrera, cuervos para el Alma que intenta ir más allá.

Huí a través de los círculos de regreso a mi cuerpo. Huí, y rápido ellos me siguieron. Sí, me siguieron los devoradores, buscando entre los ángulos devorarse mi Alma.

Sí, sábete hombre, que el Alma que se atreve a ir a la Barrera puede ser atada por los PERROS DE CAZA de más allá del tiempo, mantenida en este ciclo hasta que finalice y dejada atrás cuando la conciencia se vaya.

Entré a mi cuerpo. Creé los círculos que no conocen ángulos, creé la forma de la que la mía fue formada. Hice mi cuerpo un círculo y perdí a los perseguidores en los círculos del tiempo. Pero, incluso todavía, cuando estoy libre de mi cuerpo, siempre debo ser cauteloso y no moverme a través de los ángulos, puesto que puede que mi alma nunca sea libre.

Sábete, los PERROS DE CAZA de la Barrera solamente se mueven a través de los ángulos y nunca a través de las curvas del espacio. Solamente moviéndose a través de la curvas puedes escapar de ellos, puesto que en los ángulos te perseguirán. Oh hombre, pon atención a mi advertencia; no busques abrir el portal hacia el más allá. Pocos son los que han tenido éxito en pasar la Barrera hacia la gran LUZ que brilla más allá. Puesto que sábete, los moradores siempre buscan Almas para mantenerlas esclavas.

Escucha, oh hombre, y pon atención a mi advertencia; busca moverte en curvas y no en ángulos, y si mientras estás libre de tu cuerpo, escuchas el sonido como el aullido de un perro sonando claro y agudo a través de tu ser, huye a tu cuerpo a través de círculos, no penetres la bruma de en medio.

Cuando hayas entrado a la forma en la que has habitado, usa la cruz y el círculo combinados. Abre tu boca y usa tu Voz. Pronuncia la PALABRA y serás libre. Solamente el que tiene completa LUZ puede tener la esperanza de pasar los guardias del camino. Y entonces debe moverse a través de extrañas curvas y ángulos que están formados en dirección no conocida para el hombre.

Escucha, oh hombre, y pon atención a mi advertencia: no intentes pasar a los guardianes del camino. En cambio deberías buscar ganar tu propia Luz y prepararte para pasar el camino.

La LUZ es tu final primordial, oh hermano mío. Busca y encuentra siempre la Luz en el camino.

LAS TABLAS ESMERALDA DE THOTH

TABLA IX

** LA CLAVE DE LA LIBERTAD DE ESPACIO **

Escucha, oh hombre, escucha mi voz, enseñando Sabiduría y Luz en este ciclo; enseñándote cómo desvanecer la oscuridad, enseñándote cómo traer Luz a tu vida.

Busca, oh hombre, para encontrar el gran camino que lleva a la VIDA eterna como un SOL. Aléjate del velo de la oscuridad. Busca volverte una Luz en el mundo. Haz de ti un cuerpo de Luz, un foco para el Sol de este espacio.

Eleva tus ojos al Cosmos. Eleva tus ojos a la Luz. Habla en las palabras del Morador, el canto que atrae la Luz. Canta la canción de la libertad. Canta la canción del Alma. Crea la vibración elevada que te hará Uno con el Todo. Mézclate todo con el Cosmos. Crece Uno con la Luz. Sé un canal de orden, un camino de LEY para el mundo.

Tu LUZ, oh hombre, es la gran LUZ, brillando a través de la sombra de la carne. Libre debes surgir de la oscuridad antes de que seas Uno con la LUZ.

Las sombras de la oscuridad te rodean. La vida te llena con su flujo. Pero sábete, oh hombre, que debes surgir y tu cuerpo debe ir lejos a los planos que te rodean y aún ser Uno contigo, también.

Mira a tu alrededor, oh hombre. Ve tu luz reflejada. Sí, incluso en la oscuridad a tu alrededor tu propia Luz se vierte a través del velo.

Busca siempre la sabiduría. No dejes que tu cuerpo te engañe. Mantente en el camino de la ola de Luz. Rechaza el camino oscuro. Sábete que la sabiduría es duradera. Existiendo desde que TODAS LAS ALMAS comenzaron, creando armonía por la Ley que existe en el CAMINO.

Escucha, oh hombre, a las enseñanzas de la sabiduría. Escucha la voz que habla del tiempo pasado. Sí, te diré el conocimiento olvidado, te hablaré de la sabiduría oculta en el tiempo pasado, perdida en medio de la oscuridad a mi alrededor.

Sábete, oh hombre, que eres lo primordial de todas las cosas. Solamente el conocimiento de esto está olvidado, perdido cuando el hombre fue atado a la esclavitud, destinado y que le fueron colocados grilletes con las cadenas de la oscuridad.

Hace mucho, mucho tiempo abandoné mi cuerpo. Vagué libre a través de la vastedad de lo etéreo, rodeé los ángulos que mantienen al hombre esclavizado. Sábete, oh hombre, que solamente eres un espíritu. El cuerpo no es nada. El Alma es TODO. No dejes que tu cuerpo sea un grillete. Abandona la oscuridad y viaja en la Luz. Abandona tu cuerpo, oh hombre, y sé libre, verdaderamente una Luz que es Uno con la Luz.

Cuando seas libre de los grilletes de la oscuridad y viajes en el espacio como el SOL de la LUZ, entonces sabrás que el espacio no es ilimitado sino que verdaderamente está limitado por ángulos y curvas. Sábete, oh hombre, que todo lo que existe solamente es un aspecto de cosas más grandes aún por venir. La materia es fluida y fluye como un arroyo, constantemente cambiando de una cosa a otra.

A través de todas las eras ha existido el conocimiento; nunca cambiado, aunque enterrado en la oscuridad; nunca perdido, aunque olvidado por el hombre.

Sábete que a través de todo el espacio en el que habitas existen otros tan grandes como tú, entrelazados a través del corazón de tu materia, no obstante separados en su propio espacio.

Una vez en un tiempo muy olvidado, Yo THOTH, abrí el portal, penetré en otros espacios y aprendí sobre los secretos ocultos. En la profundidad de la esencia de la material existen muchos misterios ocultos.

Nueve son las dimensiones interconectadas, y Nueve son los ciclos del espacio. Nueve son las difusiones de la conciencia, y Nueve son los mundos dentro de los mundos. Sí, Nueve son los Señores de los ciclos que vienen de arriba y de abajo.

El espacio está lleno con cosas ocultas, puesto que el espacio está dividido por el tiempo. Busca la clave al tiempo-espacio, y abrirás el portal. Sábete que a través del tiempo-espacio seguramente la conciencia existe. Aunque de nuestro conocimiento esté oculta, aún por siempre existe.

La clave a los mundos en tu interior está solamente en tu interior. Puesto que el hombre es el portal del misterio y la clave que es Una con lo Único.

Busca dentro del círculo. Usa la PALABRA que daré. Abre el portal de tu interior, y seguramente tú, también, vivirás. Hombre, tú crees que vives, pero conoces la vida dentro de la muerte. Puesto que tan seguro como estás limitado a tu cuerpo, para ti la vida no existe. Solamente el Alma es libre en espacio, tiene vida que en realmente una vida. Todo lo demás no es más que un límite, un grillete del cual debe ser libre.

No pienses que el hombre es nacido de la tierra, aunque puede venir de la tierra. El hombre es un espíritu nacido de la luz. Pero, sin conocimiento, nunca puede ser libre. La oscuridad rodea al nacido de la luz. La oscuridad encadena al Alma. Solamente el que está buscando puede siempre esperar ser libre.

Las sombras alrededor de ti están cayendo, la oscuridad llena todo el espacio. Brilla, OH LUZ del alma de hombre. Llena la oscuridad del espacio.

Tú eres hijo de la GRAN LUZ, recuerda y serás libre. No permanezcas en las sombras. Surge de la oscuridad de la noche. Luz, deja a tu Alma ser, OH NACIDO DEL SOL, llena con gloria de Luz, liberado de los límites de la oscuridad, un Alma que es Una con la Luz.

Tú eres la clave para toda la sabiduría. Dentro de ti está todo el tiempo y el espacio. No vivas en esclavitud de la oscuridad. Libera tu forma de Luz de la noche.

Gran Luz que llena el Cosmos, fluye completamente hacia el hombre. Haz de su cuerpo una antorcha de luz que nunca sea apagada entre los hombres.

Hace mucho en el pasado, busqué sabiduría, conocimiento no sabido por el hombre. Lejos en el pasado, viajé hacia el espacio en donde el tiempo comenzó. Busqué siempre tener conocimiento para añadirlo al que tenía. No obstante, encontré, que solamente el futuro tenía la clave a la sabiduría que pensaba.

Abajo, hacia los SALONES DE AMENTI viajé, para buscar mayor conocimiento. Les pregunté a los SEÑORES de los CICLOS, su camino a la sabiduría que buscaba. Hice a los SEÑORES esta pregunta: ¿Dónde está la fuente de TODO? Respondió, en tonos que eran poderosos, la voz del SEÑOR de los NUEVE: Libera tu alma de tu cuerpo y ven conmigo hacia la LUZ.

Salí de mi cuerpo, una brillante llama en la noche. Me paré ante el SEÑOR, bañado en el fuego de la VIDA. Tomado fui entonces por una fuerza, mucho más allá del conocimiento del hombre. Arrojado fui al Abismo a través de espacios desconocidos para el hombre.

Vi los moldes del Orden desde el caos y los ángulos de la noche. Vi la LUZ, floreciendo del Orden y escuché la voz de la Luz. Vi la llama del Abismo, arrojada del Orden y la Luz. Vi el Orden surgir del caos. Vi la Luz dando Vida.

Entonces escuché la voz: Escucha y entiende. La llama es la fuente de todas las cosas, conteniendo potencialmente todas las cosas dentro de ella. El Orden que envió luz es la PALABRA y de la PALABRA, SURGE LA VIDA y la existencia de todo.

Y nuevamente se oyó la voz diciendo: LA VIDA en ti es la PALABRA. Encuentra la VIDA dentro de ti y obtén los poderes para el uso de la PALABRA.

Mucho tiempo observé la llama de Luz, vertiéndose desde la Esencia del Fuego, dándome cuenta de la VIDA pero en Orden y que el hombre es uno con el fuego.

Regresé a mi cuerpo y nuevamente estuve con el Nueve, escuché la voz de los Ciclos, vibrando con poderes dijo: Sábete, Oh THOTH, que la VIDA no es más que la PALABRA en el Mundo como un fuego. Busca el camino a la PALABRA y seguramente los Poderes serán tuyos.

Entonces, pedí al Nueve: Oh Señor, muéstrame el camino. Dame el camino a la sabiduría. Muéstrame el camino a la PALABRA. Entonces, el SEÑOR DEL NUEVE, contestó: A través del ORDEN, encontrarás el camino. ¿Viste que la PALABRA vino del Caos? ¿No viste que la LUZ surgió del FUEGO?

Busca en tu vida este orden. Equilibra y ordena tu vida. Sofoca todo el Caos de las emociones y tendrás orden en la VIDA.

El ORDEN traído del Caos te dará la PALABRA de la FUENTE, el poder de los CICLOS, y hará de tu Alma una fuerza que se extenderá libre a través de las eras, un perfecto SOL de la Fuente. Escuché la voz y agradecí profundamente las palabras en mi corazón. Por siempre he buscado el orden que puede atraer la PALABRA. Sábete que el que lo logra siempre debe estar en ORDEN para usar la PALABRA, aunque este orden nunca haya sido o pueda serlo.

Toma estas palabras, oh hombre, como parte de tu vida, déjalas ser. Busca conquistar este orden y Uno con la PALABRA serás. Esfuérzate por ganar LUZ en el camino de la Vida. Busca ser Uno con el SOL/estado. Busca ser solamente la LUZ. Mantén tu pensamiento en la Unidad de Luz con el cuerpo del hombre. Sábete que todo es Orden del Caos nacido en la Luz.

LAS TABLAS ESMERALDA DE THOTH

TABLA X

** LA CLAVE DEL TIEMPO **

Escucha, oh Hombre. Toma de mi sabiduría. Aprende de sus misterios del espacio profundamente escondidos. Aprende del PENSAMIENTO que creció en el abismo, trayendo Orden y Armonía al espacio.

Sábete, oh hombre, que todo lo que existe tiene esencia solamente por la LEY. Conoce la LEY y serás libre, nunca encontrado por los grilletes de la noche.

Lejos, a través de los espacios extraños, he viajado hacia lo profundo del abismo del tiempo, hasta que al final todo fue revelado. Sábete que el misterio solamente es misterio cuando es conocimiento desconocido por el hombre. Cuando hayas sondeado el corazón de todo el misterio, el conocimiento y la sabiduría seguramente serán tuyos.

Busca y aprende que el TIEMPO es el secreto a través del cual puedes ser libre de este espacio.

Mucho tiempo yo he buscado sabiduría, SABIDURÍA; sí, y buscaré hasta el fin de la eternidad puesto que sé que antes de desvanecerme me moveré al objetivo que busco lograr.

Incluso los SEÑORES de los CICLOS saben ELLOS todavía no han alcanzado su meta. Puesto que con toda su sabiduría, ellos saben que la VERDAD siempre crece.

Una vez, en el tiempo pasado, hablé al Morador. Le pregunté sobre el misterio del tiempo y del espacio. Le hice la pregunta que surgió en mí ser, diciendo: Oh Maestro, ¿qué es el tiempo?

Entonces ÉL, el Maestro, habló: Sábete, Oh Thoth, en el inicio hay VACÍO y la nada, un nada eterno, sin espacio. Y dentro de la nada vino un pensamiento, decidido, todo dominante y llenó el VACÍO. Ahí no existía materia, solamente fuerza, un movimiento, un vórtice o vibración del pensamiento decidido que llenó el VACÍO.

Y pregunté al Maestro diciendo: ¿Este pensamiento era eterno? Y el MORADOR me contestó: En el inicio, había pensamiento eterno, y para que el pensamiento sea eterno, el tiempo debe existir. Así que dentro del pensamiento todo dominante creó la LEY del TIEMPO. Sí, el tiempo que existe a través de todo el espacio, flotando en un suave movimiento rítmico que está eternamente en un estado de fijación.

El tiempo no cambia, pero todas las cosas cambian en el tiempo. Puesto que el tiempo es la fuerza que mantiene separados los eventos, cada uno en su propio lugar apropiado. El tiempo no está en movimiento, pero tú te mueves a través del tiempo ya que tu conciencia se mueve de un evento al otro.

Sí, por el tiempo todavía existe, todo en todo, una ÚNICA existencia eterna. Sábete que aunque en el tiempo están separados, no obstante aún son UNO, en todos los tiempos existentes.

Cesó entonces la voz del MORADOR y me marché para reflexionar sobre el tiempo. Puesto que sabía que en estas palabras hay sabiduría y una forma para explorar los misterios del tiempo.

Con frecuencia reflexioné las palabras del MORADOR. Entonces busqué resolver el misterio del tiempo. Encontré que el tiempo se mueve a través de ángulos extraños. No obstante solamente por las curvas podía esperar conseguir la clave que me daría acceso al tiempo-espacio. Encontré que solamente moviéndose hacia arriba, podría estar libre del tiempo del movimiento.

Salí de mi cuerpo, me moví en los movimientos que me cambiaron en el tiempo. Extrañas eran las vistas que percibí en mis viajes, muchos los misterios que se abrieron a la vista. Sí, vi el inicio del hombre, aprendí del pasado que nada es nuevo.

Busca, oh hombre, aprender el camino que lleva a través de los espacios que son formados en el tiempo.

No olvides, oh hombre, con toda tu búsqueda que la Luz es la meta que buscarás obtener. Busca la Luz en tu camino y siempre para ti durará el objetivo.

No dejes que tu corazón voltee a la oscuridad. Deja que la luz ilumine al Alma, que sea un Sol en el camino. Sábete que en ese brillo eterno siempre encontrarás tu Alma escondida en la Luz, nunca atrapada por la esclavitud u oscuridad, siempre brilla como un Sol de la Luz.

Sí, sábete que aunque esté escondida en la oscuridad, tu Alma, una chispa de la verdadera flama, existe. Se Uno con la más grande de todas las Luces. Encuentra en la FUENTE el FIN de tu meta.

La Luz es vida, puesto que sin la gran Luz nada puede siquiera existir. Sábete, que en toda la materia formada, el corazón de la Luz siempre existe. Sí, aunque atada en la oscuridad, la Luz inherente siempre existe.

Una vez estuve en los SALONES DE AMENTI y escuché la voz de los SEÑORES de AMENTI, diciendo en tonos que sonaron a través del silencio, palabras de poder, poderosas y potentes. Cantaron ellos la canción de los ciclos, las palabras que abren el camino al más allá. Sí, vi el gran camino abierto y busqué el instante hacia el más allá. Vi los movimientos de los ciclos, vastos como el pensamiento de la FUENTE que podía transmitir.

Entonces supe que incluso la Infinidad se está moviendo a algún final impensable. Vi que el Cosmos es Orden y parte de un movimiento que se extiende a todo el espacio, una parte de un Orden de Órdenes, constantemente moviéndose en una armonía de espacio.

Vi el rodar de los ciclos como vastos círculos a través del cielo. Supe entonces que todo lo que tiene ser está creciendo para encontrar todavía a otro ser en un agrupamiento a lo lejos del espacio y del tiempo.

Supe entonces que en las Palabras está el poder para abrir los planos que están ocultos al hombre. Sí, que incluso en las Palabras yace oculta la clave que abrirá arriba y abajo.

Escucha, ahora hombre, esta palabra que dejo contigo. Úsala y encontrarás poder en su sonido. Di la palabra: "ZIN-URU" y encontrarás poder. No obstante, debes entender que el hombre es de Luz y la Luz es del hombre.

Escucha, oh hombre, y escucha un misterio más extraño que todo lo que yace debajo del Sol. Sábete, oh hombre, que todo el espacio está lleno con mundos dentro de mundos; sí, uno dentro del otro no obstante separados por Ley.

Una vez en mi búsqueda por la profunda sabiduría enterrada, abrí la puerta que los excluía a ELLOS de los hombres. Llamé desde los otros planos de ser a una que era más justa que las hijas de los hombres. Sí, la llamé de los espacios para que brillara como una Luz en el mundo de los hombres.

Usé el tambor de la Serpiente. Vestí la toga púrpura y dorada. Coloqué en mi cabeza, yo, la corona de Plata. A mi alrededor el círculo de cinabrio brillaba. Levanté mis brazos e hice la invocación que abre el camino a los planos del más allá, llamé a los SEÑORES y de las SEÑALES en sus casas: Señores de los dos horizontes, observadores de los triples portales, permanezca Uno a la derecha y Uno a la izquierda cuando la ESTRELLA se eleve a su trono y gobierne sobre su señal. Sí, tu oscuro príncipe de ARULU, abre los portales de lo atenuado, tierra oculta, y libérala de quien la mantienes prisionera.

Escuchen, escuchen, escuchen, señores Oscuros y Brillantes, y por sus nombres secretos, nombres que conozco y puedo pronunciar, escuchen y obedezcan mi voluntad.

Encendí entonces la flama en mi círculo y la llamé a ELLA en los planos-espacio del más allá. Hija de la Luz regresa de ARULU.

Siete veces y siete veces he pasado a través del fuego. No he tomado alimento. No he bebido agua. Te llamo desde ARULU, desde los reinos de EKERSHEGAL. Te invoco, dama de la Luz.

Entonces ante mí surgieron las oscuras figuras; sí, las figuras de los Señores de Arulu. Se partieron ante mí y surgió la Señora de la Luz.

Libre era ella ahora de los SEÑORES de la noche, libre de vivir en la Luz del Sol terrestre, libre de vivir como una hija de la Luz.

Escuchen y pongan atención, oh mis niños. La magia es conocimiento y solamente es Ley. No tengan miedo del poder dentro de ustedes, puesto que sigue la Ley como las estrellas en el cielo.

Sábete que estar sin el conocimiento, la sabiduría es magia y no es de la Ley. Pero sábete que siempre por tu conocimiento puedes llegar más cerca de un lugar en el Sol.

Escucha, mi niño, sigue mi enseñanza. Se siempre un buscador de Luz. Brilla en el mundo de los hombres a tu alrededor, una Luz en el camino que brillará entre los hombres.

Sigue y aprende de mi magia. Sábete que toda la fuerza es tuya si quieres. No temas al camino que te lleva al conocimiento, sino que te ilumine el oscuro camino.

La luz es tuya, oh hombre, para tomarla. Quita los grilletes y serás libre. Sábete que tu Alma está viviendo en esclavitud por los miedos que te mantienen como esclavo.

Abre tus ojos y mira la gran LUZ SOLAR. No tengas miedo puesto que todo es tuyo. Miedo es el SEÑOR del oscuro ARULU para el que nunca ha enfrentado el miedo oscuro. Sí, sábete que el miedo tiene existencia creada por aquellos que están esclavizados por sus miedos.

Quítense la esclavitud, oh niños, y caminen en la Luz del glorioso día. Nunca volteen los pensamientos a la oscuridad y seguramente serán Uno con la Luz.

El hombre es solamente lo que cree, un hermano de la oscuridad o un hijo de la Luz. Vengan hacia la Luz mis Niños. Caminen en el sendero que lleva al Sol.

Escuchen ahora, y escuchen la sabiduría. Usen la palabra que les he dado. Úsenla y seguramente encontrarán poder y sabiduría y Luz para andar en el camino. Busquen y encuentren la clave que les he dado y siempre serán un Hijo de la Luz.

LAS TABLAS ESMERALDA DE THOTH

TABLA XI

** LA CLAVE PARA ARRIBA Y ABAJO **

Escuchen y pongan atención, oh hijos de Khem, a las palabras que doy y que los llevarán a la Luz. Saben, oh hombres, que yo conocí a sus padres, sí, a sus padres hace mucho tiempo. Inmortal he sido a través de todas las eras, viviendo entre ustedes desde que su conocimiento comenzó.

Siempre he luchado por guiarlos hacia la Luz de la Gran Alma, atrayéndolos lejos de la oscuridad de la noche.

Sepan, oh gente entre la que camino, que yo, Thoth, tengo todo el conocimiento y toda la sabiduría conocida, para el hombre desde los días antiguos. Guardián he sido de los secretos de la gran raza, poseedor de la clave que lleva a la vida. Educador he sido de ustedes, oh mis niños, incluso desde la oscuridad del Anciano de los Días. Escuchen ahora las palabras de mi sabiduría. Escuchen ahora el mensaje que traigo. Escuchen ahora las palabras que les doy, y serán elevados desde la oscuridad hacia la Luz.

Lejos en el pasado, cuando llegué a ustedes por primera vez, los encontré en cuevas de piedra. Los levanté con mi poder y sabiduría hasta que brillaron como hombres entre los hombres. Sí, los encontré sin ningún conocimiento. Solamente un poco surgieron más allá de las bestias. Avivé siempre la chispa de su conciencia hasta que al fin ardieron como hombres.

Ahora hablaré a ustedes del conocimiento antiguo más allá del pensamiento de su raza. Sepan que nosotros de la Gran Raza tuvimos y tenemos conocimiento que es mayor al del hombre. La sabiduría que ganamos de las razas nacidas de las estrellas, sabiduría y conocimiento mucho más allá del hombre. Hacia nosotros habían descendido los maestros de sabiduría tan más allá de nosotros como yo lo estoy de ustedes. Escuchen ahora mientras les doy mi sabiduría. Úsenla y serán libres.

Sepan que en la pirámide que construí están las Claves que les mostrarán el Camino hacia la vida. Sí, dibujen una línea desde la gran imagen que construí, hasta el ápice de la pirámide, construida como un portal. Dibujen otra opuesta en el mismo ángulo y dirección. Caven y encuentren eso que he escondido. Ahí encontrarán la entrada subterránea hacia los secretos ocultos antes de que fueran hombres.

Les digo que conozco el misterio de los ciclos que se mueven en formas que son extrañas a lo finito, puesto que lo infinito está más allá del conocimiento del hombre. Sepan que hay nueve ciclos; sí, nueve arriba y catorce abajo, moviéndose en armonía hasta el lugar de unión que existirá en el futuro del tiempo. Sepan que los Señores de los Ciclos son unidades de conciencia enviadas por otros para unificar Esto con el Todo.

Superiores son Ellos de la conciencia de todos los Ciclos, trabajando en armonía con la Ley. Ellos saben que todo será perfeccionado a tiempo, teniendo nada arriba y nada abajo, pero todo Uno en una perfecta Infinidad, una armonía de todo en la Unidad de Todo.

En lo profundo debajo de la superficie de la Tierra en los Salones de Amenti se sientan los Siete, los Señores de los Ciclos, sí, y otro, el Señor de abajo. No obstante, sepan que en la Infinidad no hay arriba ni abajo. Pero siempre hay y siempre habrá Unidad de Todo cuando todo esté completo. Muchas veces he estado ante los Señores del Todo. Muchas veces en la fuente de su sabiduría he bebido y llenado tanto mi cuerpo como mi Alma con su Luz.

Me hablaron ellos y me dijeron sobre los ciclos y la Ley que les da los medios para existir. Sí, me habló el Señor de los Nueve diciendo: Oh, Thoth, grande eres entre los hijos de la Tierra, pero los misterios existen de los cuales no sabes. Sabes que viniste de un espacio tiempo debajo de esto y sabes que viajarás más allá de un espacio tiempo. Pero poco sabes de los misterios en el interior de ellos, poco sabes de la sabiduría de más allá. Sabes que tú como un todo en esta conciencia solamente eres una célula en el proceso de crecimiento.

La conciencia debajo de ti siempre se está expandiendo en formas diferentes de aquellas que conoces. Sí, aunque en el espacio tiempo debajo de ti, siempre está creciendo en formas que son diferentes de aquellas que fueron parte de tus formas. Puesto que debes saber que crece como resultado de tu crecimiento pero no de la misma forma que tú creciste. El crecimiento que tuviste y que tienes en el presente ha traído una causa y un efecto. Ninguna conciencia sigue el camino de aquellos que están ante ella, todo lo demás sería repetitivo y en vano. Cada conciencia en el ciclo en el que existe sigue su propio camino hacia el objetivo final. Cada uno juega su parte en el Plan del Cosmos. Cada uno juega su parte en el final máximo. Cuanto más lejano es el ciclo, mayor es su conocimiento y habilidad para mezclar la Ley del todo.

Sepan, que ustedes de los ciclos debajo de nosotros están trabajando las partes menores de la Ley, mientras que nosotros los del ciclo que se extiende hacia la Infinidad tomamos el esfuerzo y construimos la Ley mayor.

Cada uno tiene su parte para jugar en los ciclos. Cada uno tiene su trabajo para completar en su camino. El ciclo debajo de ustedes no obstante no está debajo de ustedes sino solamente formado por una necesidad que existe. Pues sepan que la fuente de sabiduría que envía los ciclos está eternamente buscando nuevos poderes para ganarlos. Saben que el conocimiento es ganado solamente por la práctica, y la sabiduría surge solamente del conocimiento, y así los ciclos son creados por la Ley. Ellos son medios para ganar el conocimiento del Plano de la Ley que es la Fuente del Todo.

El ciclo debajo no está verdaderamente abajo sino solamente es diferente en el espacio y en el tiempo. La conciencia está trabajando y probando cosas menores que ustedes. Y sepan, así como ustedes están trabajando más grandemente, arriba de ustedes están aquellos que también trabajan como ustedes en otras leyes.

La diferencia que existe entre los ciclos solamente está en la habilidad de trabajar con la Ley. Nosotros, que estamos en ciclos más allá de ustedes, somos aquellos que vinimos primero de la Fuente y hemos ganado en el paso a través del espacio tiempo la habilidad de usar la Leyes de lo Más Grande que está mucho más allá de la concepción del hombre. Nada hay que esté en realidad debajo de ustedes sino una operación diferente de la Ley.

Miren arriba y miren abajo, lo mismo encontrarán. Puesto que todo no es más que parte de la Unidad que está en la Fuente de la Ley. La conciencia debajo de ustedes es parte de ustedes como nosotros somos parte de ustedes.

Sí, como niño no tenían el conocimiento que llegó a ustedes cuando se volvieron hombre. Comparen los ciclos del hombre en su viaje desde el nacimiento hasta la muerte, y vean en el ciclo debajo de ustedes al niño con el conocimiento que tiene; y véanse como el niño que creció, avanzando en conocimiento mientras el tiempo pasaba. Vean, como nosotros, al niño crecer hacia la adultez con el conocimiento y la sabiduría que llegó con los años.

Así también, oh Thoth, son los ciclos de la conciencia, niños en diferentes etapas de crecimiento, no obstante todos de una Fuente, la Sabiduría, y todo regresando de nuevo a la Sabiduría.

Dejó Él de hablarme y se sentó en el silencio que llega a los Señores. Entonces nuevamente me habló Él diciendo: Oh Thoth, mucho tiempo nos sentamos en Amenti, cuidando la flama de la vida en los Salones. No obstante, sabemos que todavía somos parte de nuestros Ciclos con nuestra Visión llegando a ellos y más allá. Sí, sabemos de todo eso, nada más importa excepto el crecimiento que podemos ganar con nuestra Alma. Sabemos que la carne es efímera. Las cosas que los hombres cuentan como grandes no son nada para nosotros. Las cosas que buscamos no son del cuerpo sino solamente son el estado perfeccionado del Alma. Cuando ustedes como hombres pueden aprender que nada más que el progreso del Alma puede contar al final, entonces verdaderamente son libres de toda limitación, libres de trabajar en una armonía de Ley.

Sábete, oh hombre, que deberías dirigirte hacia la perfección, puesto que solamente así puedes lograr el objetivo. Aunque deberías saber que nada es perfecto, no obstante debería ser tu objetivo y tu meta. Nuevamente cesó la voz del Nueve, y las palabras habían penetrado mi conciencia. Ahora, siempre busco más sabiduría para que pueda ser perfecto en la Ley con el Todo.

Pronto voy a los Salones de Amenti para vivir debajo de la fría flor de la vida. Ustedes a los que he enseñado ya no me verán más. No obstante yo vivo por siempre en la sabiduría que enseñé.

Todo lo que el hombre es, lo es por su sabiduría. Todo lo que él deberá ser es el resultado de su causa.

Escuchen, ahora a mi voz y vuélvanse más grandes que el hombre común. Eleven su mirada, dejen que la Luz llene su ser, sean ustedes siempre Hijos de la Luz. Solamente con el esfuerzo crecerán hacia el plano en donde la Luz es el Todo del Todo. Sean el maestro de todos los que les rodeen. Nunca sean dominados por los efectos de su vida. Creen entonces siempre causas más perfectas y en el tiempo serán un Sol de la Luz.

Libre dejen que su alma se eleve siempre hacia arriba, libre de la esclavitud y los grilletes de la noche. Eleven sus ojos hacia el Sol en el espacio celestial.

Para ustedes dejen que sea un símbolo de la vida. Sepan que ustedes son la Luz Más Grande, perfectos en su propia esfera, cuando son libres. Nunca miren hacia la negrura. Eleven sus ojos hacia el espacio que está arriba. Liberen su flama de Luz hacia arriba y serán un Hijo de la Luz.

LAS TABLAS ESMERALDA DE THOTH

TABLA XII

** LA LEY DE LA CAUSA Y EFECTO Y LA CLAVE DE LA PROFECÍA **

Escucha, Oh hombre, las palabras de mi sabiduría, escucha la voz de Thoth, el Atlante. Yo he conquistado la Ley del tiempo-espacio. He ganado conocimiento del futuro del tiempo. Sé que el hombre es su movimiento a través del espacio tiempo siempre será UNO con el TODO.

Sábete, oh hombre, que todo el futuro es un libro abierto para el que pueda leer. Todo efecto traerá sus causas y todos los efectos crecen desde la primera causa. Sábete que el futuro no está arreglado o estable, sino que varía ya que la causa trae un efecto. Mira la causa que traerás a la luz, y seguramente verás que todo es efecto.

Así que, oh hombre, estate seguro de que los efectos que traigas siempre sean causas de efectos más perfectos. Sábete que el futuro nunca está fijo sino que sigue el libre albedrío del hombre ya que se mueve a través de los movimientos del tiempo espacio hacia la meta en la que un nuevo tiempo comienza.

El hombre solamente puede leer el futuro a través de las causas que traen los efectos. Busca dentro de la causa y seguramente encontrarás los efectos.

Escucha, oh hombre, mientras hablo del futuro, hablo del efecto que sigue la causa. Sábete que el hombre en su viaje hacia la luz siempre está buscando escapar de la noche que le rodea, como las sombras que rodean a las estrellas en el cielo y como las estrellas en el cielo-espacio, él, también, brillará desde las sombras de la noche.

Siempre su destino deberá llevarlo hacia arriba hasta que él sea UNO con la Luz. Sí, aunque de esta forma yace en medio de las sombras, siempre ante él brilla la Gran Luz. Aunque oscuro el camino es, no obstante él conquistará las sombras que fluyen a su alrededor como la noche.

Lejos en el futuro, veo al hombre como un nacido de la Luz, libre de la oscuridad que pone grilletes al Alma, viviendo en la Luz sin las ataduras de la oscuridad que le cubren la Luz que es la Luz de su Alma.

Sábete, oh hombre, que antes de que logres esto, que muchas de las sombras oscuras caerán en su Luz esforzándose por apagar con las sombras de la oscuridad la Luz del Alma que lucha por ser libre.

Grande es la lucha entre la Luz y la oscuridad, antigua y no obstante siempre nueva. No obstante, sábete que en un tiempo, en el futuro, La Luz será el Todo y la oscuridad caerá.

Escucha, oh hombre, a mis palabras de sabiduría. Prepárate y no atarás tu Luz. El hombre se ha levantado y el hombre ha caído como las siempre nuevas olas de conciencia fluyen desde el gran abismo debajo de nosotros hacia el Sol de su objetivo.

Ustedes, mis niños, se han levantado de un estado que estaba un poco arriba de la bestia, hasta ahora de todos los hombres ustedes son los más grandes. No obstante antes de ustedes hubo otros más grandes que ustedes. Sin embargo, le digo que antes que ustedes otros han caído, así que ustedes también llegarán a su final.

Y sobre la tierra en donde ahora habitan, los bárbaros habitarán y sucesivamente se elevarán hacia la Luz. Olvidada será la antigua sabiduría, no obstante siempre vivirá aunque oculta al hombre.

Sí, en la tierra que ustedes llaman Khem, las razas surgirán y las razas caerán. Olvidados serán ustedes de los hijos de los hombres. Se habrán movido a una estrella-espacio más allá de esta dejando atrás este lugar que han habitado.

El Alma del hombre se mueve siempre hacia arriba, sin ser atada por ninguna estrella. Pero siempre moviéndose hacia la gran meta ante ella en donde es disuelta en la Luz del Todo. Sábete que tú siempre irás hacia arriba, movido por la Ley de la Causa y Efecto hasta que al final ambos se vuelvan Uno.

Sí, hombre, después que te hayas ido, otros se mudarán a los lugares que habitaste. Todo el conocimiento y la sabiduría serán olvidados, y solamente sobrevivirá un recuerdo de los Dioses. Como yo para ti soy un Dios por mi conocimiento, así tú serás Dios del futuro por tu conocimiento mucho más arriba del suyo. No obstante, sábete que todo a través de las eras, el hombre tendrá acceso a la Ley cuando él quiera.

Las eras por venir verán revivir la sabiduría de aquellos que heredarán tu lugar en esta estrella. Ellos, sucesivamente, entrarán a la sabiduría y aprenderán a desterrar a la oscuridad por medio de la Luz. No obstante, ellos deben luchar enormemente a través de las eras para traer a sí mismos la libertad de la Luz.

Entonces llegará al hombre la gran guerra que hará que la Tierra se estremezca y tiemble en su curso. Sí, entonces los Hermanos Oscuros abrirán la guerra entre la Luz y la noche.

Cuando el hombre nuevamente conquiste el océano y vuele en el aire con alas como las aves; cuando él haya aprendido a aprovechar la iluminación, entonces el tiempo de la guerra comenzará. Grande será la batalla entre las fuerzas, grande la guerra de la oscuridad y la Luz.

Una nación se levantará en contra de otra nación usando las fuerzas oscuras para destruir la Tierra. Las armas de fuerza aniquilarán al hombre de la Tierra hasta que la mitad de las razas de los hombres hayan desaparecido. Entonces surgirán los Hijos de la Mañana y darán su decreto a los hijos de los hombres, diciendo: Oh hombres, cesen la pelea en contra de su hermano. Solamente así pueden llegar a la Luz. Dejen su incredulidad, oh mi hermano, y sigan el camino y sepan que están bien.

Entonces los hombres dejarán de pelear, hermano contra hermano y padre contra hijo. Entonces el antiguo hogar de mi gente surgirá desde su lugar de debajo de las olas del oscuro océano. Entonces La Era de Luz será desarrollada con todos los hombres buscando la Luz de su objetivo. Entonces los Hermanos de la Luz gobernarán a las personas. Desterrada será la oscuridad de la noche.

Sí, los hijos de los hombres progresarán hacia arriba y hacia delante hacia el gran objetivo. Se convertirán en los Hijos de la Luz. Flamas de la flama siempre serán sus Almas.

El conocimiento y la sabiduría serán del hombre en la gran era pues él alcanzará la flama eterna, la Fuente de toda sabiduría, el lugar del comienzo, que es Uno con el final de todas las cosas.

Sí, en un tiempo que todavía no ha surgido, todos serán Uno y Uno será Todo. El hombre, una perfecta flama de este Cosmos, avanzará a un lugar en las estrellas. Sí, se moverá incluso fuera de este espacio-tiempo hacia otro más allá de las estrellas.

Mucho tiempo me han escuchado, oh mis niños, mucho tiempo han escuchado a la sabiduría de Thoth. Ahora los dejo y voy hacia la oscuridad. Ahora voy a los Salones de Amenti, ahí para habitar en el futuro cuando la Luz nuevamente llegue al hombre. No obstante, sepan, que mi Espíritu siempre estará con ustedes, guiando sus pies en el camino de la Luz.

Cuiden los secretos que les dejo, y seguramente mi espíritu los cuidará a lo largo de la vida. Mantengan sus ojos siempre en el camino de la sabiduría. Mantengan la Luz como su objetivo por siempre. No pongan ataduras a su Alma en la esclavitud de la oscuridad; déjenla volar libre en su viaje a las estrellas.

Ahora los dejo para habitar en Amenti. Ustedes son mis niños en esta vida y en la siguiente. El tiempo llegará en el que ustedes, también, serán inmortales, viviendo de era a era como una Luz entre los hombres.

Cuiden la entrada a los Salones de Amenti. Cuiden los secretos que he ocultado entre ustedes. No dejen que la sabiduría sea moldeada por los bárbaros. El secreto que ustedes cuidarán es para aquellos que buscan la Luz. Ahora me voy. Reciban mi bendición. Sigan mi camino y sigan la Luz.

Mezclen su Alma en la Gran Esencia. Una, con la Gran Luz dejen que su conciencia sea. Llámenme cuando me necesiten. Digan mi nombre tres veces seguidas: Chequetet, Arelich, Volmalites.

TABLA XIII

** LAS CLAVES DE LA VIDA Y LA MUERTE **

Escucha, oh hombre, escucha la sabiduría. Escucha la Palabra que te llenará con Vida. Escucha la Palabra que desvanecerá la oscuridad. Escucha la voz que desvanecerá la noche.

El misterio y la sabiduría he traído a mis hijos; el conocimiento y poder descendido de lo antiguo. ¿No sabes que todo será abierto cuando encuentres la unidad de todo?

Uno serás con los Maestros del Misterio, Conquistadores de la Muerte y Maestros de la Vida. Sí, aprenderás de la flor de Amenti el florecimiento de vida que brilla en los Salones. En Espíritu alcanzarás esos Salones de Amenti y traerás la sabiduría que vive en la Luz. Sábete que el portal al poder es secreto. Sábete que el portal a la vida es a través de la muerte. Sí, a través de la muerte pero no como conoces tú a la muerte, sino una muerte que es vida y que es fuego y que es Luz.

¿Deseas conocer el profundo y oculto secreto? Mira en tu corazón en donde está atado el conocimiento. Sábete que en ti el secreto está oculto, la fuente de toda la vida y la fuente de toda la muerte.

Escucha, oh hombre, mientras te digo el secreto, te revelo el secreto de lo antiguo.

En la profundidad de la Tierra yace la flor, la fuente del Espíritu que ata a todo en su forma. Pues sábete que la Tierra está viviendo en un cuerpo como tú vives en tu propia forma. La Flor de la Vida es como tu propio lugar del Espíritu y mana a través de la Tierra como tu fluyes a través de tu forma; dando vida a la Tierra y a sus hijos, renovando el Espíritu de forma a forma.

Sábete, oh hombre, que tú forma es dual, equilibrada en polaridad mientras está formada. Sábete que cuando la Muerte se acerque a ti rápidamente, es solamente porque tu equilibrio se agita. Es solamente porque un polo se ha perdido.

Sábete que el secreto de la vida en Amenti es el secreto de la restauración del equilibrio de polos. Todo lo que existe tiene forma y está vivo por el Espíritu de vida en sus polos.

¿No ves que en el corazón de la Tierra está el equilibrio de todas las cosas que existen y tienen ser en su faz? La fuente de tu Espíritu es traída del corazón de la Tierra, pues es tu forma eres uno con la Tierra.

Cuando hayas aprendido a mantener tu propio equilibrio, entonces atraerás el equilibrio de la Tierra. Existirás entonces mientras la Tierra exista, cambiando en forma, solamente cuando la Tierra, también, cambie: sin probar la muerte, sino uno con este planeta, manteniendo tu forma hasta que todo se acabe.

Escucha, oh hombre, mientras doy el secreto para que tú, también, no pruebes el cambio. Una hora diariamente deberás acostarte con tu cabeza apuntando hacia donde está el polo positivo (norte). Una hora cada día tu cabeza apuntará a donde se encuentra el polo negativo (sur). Mientras tu cabeza esté colocada hacia el norte, mantén consciencia de tu pecho a tu cabeza.

Y cuando tu cabeza apunte hacia el sur, mantén tu pensamiento desde el pecho a los pies. Mantente en equilibrio una vez cada siete, y tu equilibrio conservará toda su fuerza. Sí, si eres viejo, tu cuerpo se renovará y tu fuerza será como la de un joven. Este es el secreto conocido para los Maestros por medio del cual mantienen alejado los dedos de la Muerte. No dejes de seguir el camino que he mostrado, puesto que cuando hayas pasado más allá de los años a cien desatenderlo significará la llegada de la Muerte.

Escucha, mis palabras, y sigue el camino. Mantén tu equilibrio y vive en vida.

Escucha, oh hombre, y escucha mi voz. Escucha la sabiduría que te doy de la Muerte. Cuando estés al final de tu trabajo señalado, quizá desees dejar la vida, pasar al plano en donde los Soles de la Mañana viven y tienen ser como Hijos de la Luz. Pasa sin dolor y pasa sin lamentación hacia el plano en donde está la Luz eterna.

Primero acuéstate a descansar con tu cabeza hacia el este. Pon tus manos en la Fuente de tu vida (plexo solar).

Coloca tu consciencia en el asiento de la vida. Hazla girar y divide el norte del sur.

Envía una parte hacia el norte. Envía la otra parte hacia el sur. Relájate, mantenlas sobre tu ser. Desde esa forma tu chispa plateada volará, hacia arriba y adelante hacia el Sol de la mañana, mezclándose con la Luz, a la par con su fuente.

Ahí flameará hasta que el deseo sea creado. Entonces regresará a un lugar en forma.

Sepan, oh hombre, que así mueren las grandes Almas, cambiando a voluntad de vida a vida. Así incluso muere el Avatar, deseando su Muerte mientras desea su propia vida.

Escucha, oh hombre, bebe de mi sabiduría. Aprende el secreto que es Maestro del Tiempo. Aprende cómo aquellos que llamas Maestros son capaces de recordar las vidas del pasado.

Grande es el secreto no obstante fácil de dominar, dándote el dominio del tiempo. Cuando rápido se acerque a ti la muerte, no temas sino sábete que eres maestro de la Muerte.

Relaja tu cuerpo, no te resistas con tensión. Coloca en tu corazón la flama de tu Alma. Rápidamente después métela en la base del triángulo.

Espera un momento, después muévete a la meta. Esta, tu meta, es el lugar entre tus cejas, el lugar en donde el recuerdo de la vida debe dominar. Mantén tu flama aquí en el asiento-cerebro hasta que los dedos de la Muerte alcancen a tu Alma. Entonces cuando pases por el estado de transición, seguramente los recuerdos de la vida también pasarán.

Entonces estará el futuro a la par con el presente. Entonces el recuerdo de todo será retenido. Libre serás de todo retroceso. Las cosas del pasado vivirán en el hoy.

TABLA XIV

** LA ATLÁNTIDA **

Escucha, oh Hombre, a la profunda sabiduría oculta, perdida en el mundo desde el tiempo de los Moradores, perdida y olvidada por los hombres de esta era.Sábete que esta Tierra no es más que un portal, cuidada por poderes desconocidos por el hombre. No obstante, los Señores Oscuros ocultan la entrada que lleva a la tierra nacida del Cielo. Sábete, que el camino a la esfera de Arulu es cuidada por barreras abiertas solamente por el hombre nacido de la Luz.

Sobre la Tierra, yo soy el que tiene las claves a los portales de la Tierra Sagrada. Ordeno, por los poderes más allá de mí, dejar las claves al mundo del hombre.

Antes de partir, te doy los Secretos de cómo puedes salir de la esclavitud de la oscuridad, quitarte los grilletes de carne que te han atado, salir de la oscuridad hacia la Luz.

Sábete, el alma debe ser limpiada de su oscuridad, así puedes entrar a los portales de la Luz. Así, establecí entre ustedes los Misterios para que los Secretos siempre puedan encontrarse.

Sí, aunque el hombre pueda caer en la oscuridad, la Luz siempre brillará como una guía. Escondido en la oscuridad, cubierto por símbolos, siempre se encontrará el camión al portal. El hombre en el futuro negará los misterios pero siempre el camino encontrará el que busque.

Ahora te pido que mantengas mis secretos, dándolos solamente a aquellos que hayas puesto a prueba, para que lo puro no sea corrompido, para que el poder de la Verdad pueda prevalecer.

Escucha ahora la revelación del Misterio. Escucha los símbolos del Misterio que doy. Haz de ello una religión pues solamente así su esencia permanecerá.

Existen dos regiones entre esta vida y el Grande, recorridas por las Almas que departen de esta Tierra; Duat, el hogar de los poderes de la ilusión; Sekhet Hetspet, la Casa de los Dioses. Osiris, el símbolo del guardián del portal, quien regresa las almas de los hombres indignos.

Más allá yace la esfera de los poderes nacidos del cielo, Arulu, la tierra a donde han pasado los Grandes. Ahí, cuando mi trabajo entre los hombres haya finalizado, me uniré los Grandes de mi Antiguo hogar.

Siete son las mansiones de la casa del Poderoso; Tres cuidan de la oscuridad el portal de cada casa; Quince los caminos que llevan a Duat. Doce son las casas de los Señores de la Ilusión, encontrando cuatro caminos, cada uno de ellos diferente.

Cuarenta y Dos son los grandes poderes, juzgando a los Muertos que buscan el portal. Cuatro son los Hijos de Horus, Dos son los Guardianes del Este y Oeste de Isis, la madre que suplica por sus hijos, Reina de la Luna, reflejando el Sol.

Ba es la esencia, viviendo por siempre. Ka es la Sombra que el hombre conoce como vida. Ba no llega hasta que Ka está encarnada. Estos son los misterios a preservar a través de las eras.

Claves son de la vida y de la Muerte. Escucha ahora el misterio de misterios: aprende el círculo de iniciación y eternidad, la forma de Él que es Uno y está en todo. Escucha y ponle atención, sigue y aplícalo, así viajarás por el camino en el que voy.

Misterio en Misterio, no obstante claro para el nacido de la Luz, el Secreto de todo ahora revelaré. Declararé un secreto a los iniciados, pero dejaré que la puerta sea completamente cerrada en contra de los profanos.

Tres es el misterio, viene del grande. Escucha y la Luz en ti brillará.

En lo primevo, moran tres unidades. Otras diferentes a estas, no pueden existir. Éstas son el equilibrio, fuente de la creación: un Dios, una Verdad, un punto de libertad. Tres vienen de los tres del equilibrio: toda la vida, todo el bien, todo el poder.

Tres son las cualidades de Dios en su hogar de Luz: poder Infinito, Sabiduría Infinita, Amor Infinito.

Tres son los poderes dados a los Maestros: Transmutar el mal, ayudar al bien, usar el discernimiento.

Tres son las cosas inevitables que Dios realiza: Manifestar poder, sabiduría y amor.

Tres son los poderes que crean todas las cosas: Amor Divino poseyendo conocimiento perfecto, Sabiduría Divina conociendo todos los medios posibles, Poder Divino poseído por la voluntad de unión del Amor y Sabiduría Divinas.

Tres son los círculos (estados) de existencia: El círculo de la Luz en donde no mora nada más que Dios, y solamente Dios puede atravesarlo; el círculo del Caos en donde todas las cosas por naturaleza surgen de la muerte; el círculo de la consciencia en donde todas las cosas florecen de la vida.

Todas las cosas animadas son de tres estados de existencia: caos o muerte, libertad en humanidad y felicidad en el Cielo.

Tres necesidades controlan todas las cosas: comenzando en la Gran Profundidad, el círculo del caos, plenitud en el Cielo.

Tres son los caminos del Alma: El Hombre, La Libertad, la Luz.

Tres son los obstáculos: falta de empeño para obtener conocimiento; desapego de Dios; apego al mal. En el hombre, se manifiestan los tres. Tres son los Reinos del poder interno. Tres son las cámaras de los misterios, fundada no obstante no encontrada en el cuerpo humano.

Escucha ahora al que está liberado, libre de la esclavitud de la vida dentro de la Luz. El conocimiento de la fuente de todos los mundos se abrirá. Sí, incluso las Puertas de Arulu no serán prohibidas. No obstante observa, oh hombre, a quien entraría al cielo. Si no fueras digno, mejor es caer en el fuego. Sábete que los celestiales atraviesan la flama pura. En cada revolución de los cielos, ellos se bañan en las fuentes de la Luz.

Escucha, oh hombre, este misterio: hace mucho en el pasado antes de que fueras nacido hombre, habité en la Antigua Atlántida. Ahí en el Templo, bebí de la Sabiduría, vertida como una fuente de Luz proveniente del Morador.

Dada la clave para ascender a la Presencia de la Luz en el Gran mundo. Me paré delante del Sagrado entronizado en la Flor de Fuego. Cubierto estaba él por el relampagueo de la oscuridad, también mi Alma por la Gloria ha sido destrozada.

Delante de los pies de su Trono como el diamante, corrían cuatro ríos de flama de su taburete, corrían a través de los canales de nubes hacia el mundo del Hombre. Lleno estaba el salón con Espíritus de los Cielos. Maravilla de maravillas era el palacio plagado de Estrellas.

Encima del cielo, como un arcoíris de Fuego y Luz del Sol, estaban Formados los Espíritus. Cantaban las glorias del Sagrado. Después del medio del Fuego salió una voz: Contempla la Gloria de la primera Causa. Contemplé esa Luz, muy arriba de toda oscuridad, reflejada en mi propio ser. Alcancé, como era, al Dios de todos los Dioses, el Espíritu Sol, el Soberano de las esferas Sol.

Existe Uno, Incluso el Primero, que no tiene inicio, no tiene final; que ha hecho todas las cosas, quien gobierna todo, quien es bueno, quien es justo, quien ilumina, quien sostiene.

Entonces desde el trono, se vertió una gran brillantez, rodeando y elevando mi alma con su poder. Con rapidez me moví a través de los espacios del Cielo, se me mostró el misterio de misterios, se me mostró el corazón Secreto del cosmos.

Llevado fui a la tierra de Arulu, me paré ante los Señores en sus Casas.

Abrieron ellos la Puerta así podía vislumbrar el prístino caos. Se estremeció mi alma con la visión de horror, se contrajo mi alma desde el océano de oscuridad. Entonces vi la necesidad de las barreras, vi la necesidad por los Señores de Arulu.

Solamente con su infinito equilibrio podrían pararse en el camino del caos no vertido. Solamente ellos podrían cuidar la creación de Dios.

Después pasé alrededor del círculo de los ocho. Vi todas las almas que habían conquistado la oscuridad. Vi el esplendor de la Luz de donde habitaban.

Anhelé tener mi lugar en su círculo, pero también anhelaba el camino que había elegido, cuando me paré en los Salones de Amenti e hice mi elección del trabajo que haría.

Pasé de los Salones de Arulu hacia el espacio terrestre en donde yacía mi cuerpo. Surgí de la tierra en donde descansaba. Me paré ante el Morador.

Le di mi palabra de renunciar a mi Gran derecho hasta que mi trabajo en la Tierra estuviera finalizado, hasta que la *Era* de oscuridad pasara.

Escucha, oh hombre, las palabras que te daré. *En* ellas encontrarás la *Esencia* de la Vida. Antes de que vuelva a los Salones de Amenti te enseñaré los Secretos de los Secretos, de cómo tú, también, puedes elevarse a la Luz.

Presérvalos y cuídalos, escóndelos en símbolos, así el profano se reirá y renunciará. *En* cada tierra, forma los misterios. Haz el camino difícil de encontrar para el que busca.

Así el débil y el vacilante serán rechazados. Así los secretos estarán ocultos y guardados, mantenidos hasta el tiempo en el que la rueda sea girada.

A través de las eras oscuras, esperando y observando, mi *Espíritu*permanecerá en la profunda tierra oculta. Cuando uno haya pasado todas las pruebas del exterior, llámame por la Clave que tienes.

Entonces yo, el Iniciador, contestaré, vengo de los Salones de los Dioses en Amenti. *Entonces* recibiré al iniciado, dándole palabras de poder.

Atiende, recuerda, estas palabras de advertencia: no me traigas carencia en sabiduría, impureza en el corazón o debilidad en tu propósito. También sustraeré de ti tu poder para invocarme desde el lugar donde duermo.

Ahora continúa y llama a tus hermanos para que pueda impartir la sabiduría para iluminar tu camino cuando mi presencia se haya ido. Ven a la cámara debajo de mi templo. No ingieras alimento hasta que hayan pasado tres días.

Ahí te daré la esencia de la sabiduría para que con poder puedas brillar entre los hombres. Ahí te daré los secretos para que tú, también, puedas elevarte a los Cielos, hombre de Dios en Verdad como en esencia eres. Ahora me marcho y déjame mientras llamo a aquellos de los que sabes, pero que aún no conoces.

LAS TABLAS ESMERALDA DE THOTH

TABLA XV

** SECRETO DE SECRETOS **

Ahora reúnanse, hijos míos, esperando para escuchar el Secreto de Secretos que les dará poder para desarrollar al hombre-Dios, les dará el camino a la vida Eterna.

Claramente hablaré sobre los Misterios Revelados. No les daré palabras oscuras. Abran sus oídos ahora, hijos míos. Escuchen y obedezcan las palabras que doy.

Primero, hablaré de los grilletes de la oscuridad que los atan en cadenas a la esfera de la Tierra.

La oscuridad y la luz ambas son de una naturaleza, diferentes solamente en apariencia, pues cada una surgió de la fuente de todo. La oscuridad es desorden. La luz es orden. La oscuridad transmutada es luz de la Luz. Este, hijos míos, es su propósito en el ser: transmutación de la oscuridad en luz.

Escuchen ahora sobre el misterio de la naturaleza, las relaciones de la vida con la Tierra en donde habita. Sepan, ustedes son triples de naturaleza, físicos, astrales y mentales en uno.

Tres son las cualidades de cada una de las naturalezas; nueve en uno, como es arriba es abajo.

En lo físico están estos canales, la sangre que se mueve en movimiento de vórtice, reaccionando en el corazón para continuar latiendo. El magnetismo que se mueve a través de los caminos nerviosos, portador de energías para todas las células y tejidos. El Akasa (lo etéreo) que fluye a través de los canales, sutil no obstante físico, completando los canales.

Cada uno de los tres sintonizado con el otro, cada uno afectando la vida del cuerpo. Forman ellos la estructura esquelética a través de la cual fluye lo sutil etéreo. En su dominio yace el Secreto de la Vida en el cuerpo. Renunciable solamente por la voluntad del adepto, cuando su propósito en la vida ha sido hecho.

Tres son las naturalezas de lo Astral, mediador es entre arriba y abajo; no de lo físico, no de lo Espiritual, sino capaz de moverse arriba y abajo.

Tres son las naturalezas de la Mente, portadora de la Voluntad del Grande. Arbitrador de la Causa y Efecto en su vida. Así es formado el triple ser, dirigido desde arriba por el poder del cuatro.

Arriba y más allá de la naturaleza tripe del hombre, yace el reino del Yo Espiritual.

Cuatro es en cualidades, brillando en cada uno de los planos de existencia, pero trece en uno, el número místico. Basados en las cualidades del hombre están los Hermanos: cada uno dirigirá el desarrollo del ser, cada uno canal será del Grande.

En la Tierra, el hombre está en esclavitud, esclavizado por el espacio y el tiempo del plano terrestre. Rodeando al planeta tierra, una ola de vibración, lo ata a su plano de desarrollo. No obstante dentro del hombre está la Clave para la liberación, dentro del hombre la libertad puede ser encontrada.

Cuando hayan liberado el yo del cuerpo, elévense hacia los límites extremos de su plano terrestre. Digan la palabra Dor-E-Lil-La.

Entonces por un momento su Luz será elevada, libres pueden pasar las barreras del espacio. Por un tiempo y medio del sol (seis horas), libres pueden pasar las barreras del plano terrestre, vean y conozcan a aquellos que están más allá de ustedes.

Sí, hacia los mundos superiores pueden pasar. Vean sus posibles alturas de desarrollo, conozcan todos los futuros terrestres del Alma.

Esclavizados están en su cuerpo, pero por el poder pueden ser libres. Este es el Secreto a través del cual la esclavitud será reemplazada por su libertad.

Dejen que su mente esté tranquila. Que su cuerpo esté en descanso: conscientemente solamente de la libertad de la carne. Centren su ser en el objetivo que anhelen. Piensen una y otra vez que serán libres. Piensen en esta palabra: La-Um-I-L-Gano una y otra vez, dejen que suene en su mente. Fluyan con el sonido hacia el lugar de su anhelo. Libérense de la esclavitud de la carne por su voluntad.

Escuchen mientras les doy el más grande de los secretos: como pueden entrar a los Salones de Amenti, entrar al lugar de los inmortales como lo hice, pararse ante los Señores en sus lugares.

Acuéstense para descansar su cuerpo. Calmen su mente para que ningún pensamiento los disturbe. Puros deben estar en mente y en propósito, de otros modo solamente llegará la falla hacia ustedes.

Visualicen Amenti como les he dicho en mis Tablas. Anhelen con todo el corazón estar ahí. Párense ante los Señores en el ojo de su mente.

Pronuncien las palabras de poder que doy (mentalmente): Mekut-El-Shab-El Hale-Sur-Ben-El-Zabrut Zin-Efrim-Quar-El. Relajen su mente y su cuerpo. Entonces estén seguros que su alma será llamada.

Ahora les doy la Clave para el Shambala, el lugar en donde mis Hermanos viven en la oscuridad: En oscuridad pero llenos de la Luz del Sol; Oscuridad de la tierra, pero Luz del Espíritu, guías para ustedes cuando mis días terminen.

Dejen su cuerpo como les he enseñado. Pasen la barrera del lugar profundo y oculto. Párense ante los portales y sus guardianes. Pidan la entrada diciendo estas palabras:

Yo soy la Luz. En mí no hay oscuridad. Libre soy de la esclavitud de la noche. Abre el camino de los Doce y el Uno para que pueda pasar al reino de la sabiduría.

Cuando ellos se rehúsen, y seguramente lo harán, pídanles abrirla con estas palabras de poder: Yo soy la Luz. Para mí no hay barreras. Abran, lo pido, por el Secreto de Secretos Edom-El-Ahim-Sabbert-Zur Adom.

Entonces su sus palabras han sido Verdad de lo superior, abiertas las barreras para ti caerán.

Ahora, les dejo, hijos míos. Abajo, no obstante arriba, a los Salones iré. Ganen el camino hacia mí, hijos míos. Verdaderamente en mis hermanos se convertirán.

Así termino mis escritos. Claves déjenlos ser para aquellos que vengan después. Pero solamente a aquellos que busquen mi sabiduría, pues solamente para éstos soy Yo la Clave y el Camino.

Made in United States
Troutdale, OR
01/03/2024

16593862R00046